COLLECTION TEL

D1232841

Lucien Goldmann

Pour une sociologie du roman

Gallimard

*Cet ouvrage a initialement
paru dans la « Bibliothèque
des Idées » en 1964.*

Pour Annie

Préface

Les trois premiers chapitres du présent volume ont été publiés dans le numéro 2-1963 de la REVUE *de l'Institut de Sociologie de Bruxelles consacré à la sociologie du roman. Parmi eux, l'étude sur le nouveau roman et la réalité sociale constitue le texte d'une intervention lors d'un colloque auquel participaient Alain Robbe-Grillet et Nathalie Sarraute, texte auquel j'ai ajouté un certain nombre de développements concernant l'œuvre de Robbe-Grillet. L'ensemble résume les résultats de deux années de recherches sur la sociologie du roman effectuées au* Centre de Sociologie de la Littérature *de* l'Institut de Sociologie de l'Université de Bruxelles.

Le quatrième chapitre a été écrit pour la revue américaine Modern Language Notes *où il sera probablement publié en même temps que le présent volume.*

Dans cette préface, nous voudrions seulement

prévenir une objection éventuelle concernant le décalage entre le niveau où se situe la première étude qui formule une hypothèse tout à fait générale sur la corrélation entre l'histoire de la forme romanesque et l'histoire de la vie économique dans les sociétés occidentales et celui où se situe l'étude sur les romans de Malraux qui est au contraire très concrète, mais dans laquelle nous ne dépassons que rarement l'analyse structurale interne et où la partie proprement sociologique est extrêmement réduite. Ajoutons aussi que l'étude sur le nouveau roman se situe à un niveau intermédiaire entre l'extrême généralité du premier travail et l'analyse interne qui caractérise le second.

Ces différences de niveau sont réelles et résultent du fait que loin de constituer une recherche achevée, le présent volume résume seulement les résultats partiels d'une recherche en cours.

Les problèmes de sociologie de la forme romanesque apparaissent à la fois passionnants, susceptibles de renouveler tout aussi bien la sociologie de la culture que la critique littéraire, et extrêmement complexes ; de plus, ils concernent un domaine particulièrement étendu. C'est pourquoi il ne saurait être question d'avancer seulement par les efforts d'un seul chercheur ou de quelques chercheurs réunis en un ou deux centres d'études.

Nous essayerons bien entendu de continuer nos recherches tant à l'École Pratique des Hautes Études à Paris qu'au Centre de Sociologie de la Littérature de Bruxelles. Mais nous savons que dans les années à venir, nous ne saurions couvrir qu'un très petit secteur de l'immense domaine qu'il faut explorer. Aussi, sommes-nous conscient du fait que des progrès vraiment substantiels pourront être réalisés seulement le jour où la sociologie de la littérature deviendra un domaine de recherches collectives se poursuivant dans un nombre suffisamment grand d'universités et de centres de recherches de par le monde.

C'est dans cette perspective, et parce que les résultats déjà acquis, même partiels et provisoires, nous paraissent suffisamment importants pour jeter une lumière nouvelle sur le problème étudié que nous avons pris la décision de les publier avec l'espoir qu'ils pourraient soit être intégrés dans d'autres recherches en cours, ou, tout au moins, pris en considération et discutés par ceux qui les effectuent, soit susciter ici ou là des recherches orientées dans la même direction. Aussi, espérons-nous vivement que, par la suite, des publications sociologiques, venant d'ailleurs, pourront nous aider dans nos propres travaux.

En terminant cette préface, nous voudrions encore

souligner une fois de plus à quel point les méthodes récentes de la critique littéraire, — structuralisme génétique, psychanalyse et même structuralisme statique avec lequel nous ne sommes pas d'accord, mais dont certains résultats partiels sont incontestables, — ont enfin mis à l'ordre du jour l'exigence de constituer une science sérieuse, rigoureuse et positive de la vie de l'esprit en général et de la création culturelle en particulier.

Bien entendu, cette science en est encore à ses tout premiers débuts. Aussi disposons-nous seulement de quelques rares recherches concrètes, alors qu'au contraire, dans le monde entier, les études traditionnelles — empiristes, positivistes ou psychologiques — dominent de loin, au moins sur le plan quantitatif, la vie universitaire. Ajoutons que les quelques rares travaux scientifiques sont pour les lecteurs en général, et même pour les étudiants, d'un accès particulièrement difficile dans la mesure où ils vont à l'encontre de toute une série d'habitudes mentales solidement établies, alors que les études traditionnelles se trouvent au contraire favorisées par ces habitudes et sont par cela même aisément accessibles. C'est qu'il s'agit dans l'étude scientifique de la vie culturelle d'un bouleversement radical, semblable à ceux qui ont jadis permis la constitution des sciences positives de la nature.

Qu'est-ce qui paraissait en effet plus absurde que d'affirmer la rotation de la terre ou le principe d'inertie alors que tout le monde pouvait certifier par une expérience immédiate et incontestable que la terre ne bouge pas et que jamais une pierre qu'on jette ne continue indéfiniment sa trajectoire? Qu'est-ce qui paraît aujourd'hui plus absurde que l'affirmation selon laquelle les véritables sujets de la création culturelle sont les groupes sociaux et non pas les individus isolés alors que c'est une expérience immédiate et en apparence incontestable que toute œuvre culturelle — littéraire, artistique ou philosophique — a un individu pour auteur?

Mais la science s'est toujours constituée malgré les « évidences immédiates » et à l'encontre du « bon sens » établi; et cette constitution s'est toujours heurtée aux mêmes difficultés, aux mêmes résistances et aux mêmes types d'arguments.

C'est là un fait normal et même, en dernière instance, encourageant et positif. Il prouve qu'à travers les résistances et les obstacles, à l'encontre des conformismes et du confort intellectuel, le travail scientifique continue, lentement sans doute, mais néanmoins effectivement, son chemin.

Paris, juin 1964.

Nous avons profité de la réédition de cet ouvrage pour y ajouter trois notes (p. 277, 313 et 362) et une étude sur le dernier film de Robbe-Grillet (rédigée en collaboration avec Anne Olivier et qui avait déjà été publiée dans l'Observateur *du 18 septembre 1964).*

Ajoutons que l'affirmation selon laquelle « les véritables sujets de la création culturelle sont les groupes sociaux et non pas les individus isolés » a beaucoup heurté les critiques ; écrite pour provoquer la discussion, nous pouvons reconnaître aujourd'hui que sa forme, peut-être trop elliptique, pourrait favoriser des malentendus.

Nous nous étions pourtant longuement expliqué dans nos précédentes publications. Les remarques que nous avons ajoutées au dernier chapitre de cet ouvrage mettent clairement les choses au point. Il n'en reste pas moins vrai que selon nous, et dans le sens où Hegel écrivait que « le Vrai c'est le Tout », les véritables sujets de la création culturelle sont effectivement les groupes sociaux et non pas les individus isolés ; mais le créateur individuel fait partie du groupe, souvent par sa naissance ou son statut social, toujours par la signification objective de son œuvre, et y occupe une place sans doute non pas décisive mais néanmoins privilégiée.

Aussi, et dans la mesure surtout où la tendance

à la cohérence qui constitue l'essence de l'œuvre se situe non seulement au niveau du créateur individuel, mais déjà à celui du groupe, *la perspective qui voit dans ce dernier le véritable sujet de la création peut-elle rendre compte du rôle de l'écrivain et l'intégrer à son analyse*, alors que la réciproque ne nous paraît pas valable.

Paris, avril 1965.

*Introduction aux problèmes
d'une sociologie du roman*

Lorsqu'il y a deux ans, en janvier 1961, l'Institut de Sociologie de l'Université Libre de Bruxelles nous a proposé de prendre la direction du groupe de recherches de sociologie de la littérature et de consacrer nos premiers travaux à une étude des romans d'André Malraux, nous avons accepté cette offre avec beaucoup d'appréhension. Nos travaux sur la sociologie de la philosophie et de la littérature tragiques au xviie siècle ne nous laissaient préjuger en rien la possibilité d'une étude portant sur une œuvre romanesque et, encore moins, sur une œuvre romanesque écrite à une époque presque contemporaine. En fait, durant la première année nous avons entrepris surtout une recherche préliminaire portant sur les problèmes du roman en tant que genre littéraire, recherche pour laquelle nous sommes parti du texte, déjà presque classique — bien qu'encore peu connu en France — de Georg Lukács, *la Théorie du roman* [1] et du livre qui venait de paraître de René Girard *Mensonge romantique et vérité romanesque* [2], dans lequel celui-ci retrouvait sans les mentionner — et, comme il nous l'a dit, par la suite, sans les connaître — les analyses lukácsiennes tout en les modifiant sur plusieurs points particuliers.

L'étude de *la Théorie du roman* et du livre de Girard, nous a conduit à formuler quelques hypothèses sociologiques qui nous semblent particulièrement intéressantes, et à partir desquelles se sont développées nos recherches ultérieures sur les romans de Malraux.

Ces hypothèses concernent, d'une part, l'homologie entre la structure romanesque classique et la structure de l'échange dans l'économie libérale, et, d'autre part, l'existence de certains parallélismes entre leurs évolutions ultérieures.

Commençons par tracer les grandes lignes de la structure décrite par Lukács et qui caractérise, sinon comme il le pense, la forme romanesque en général, tout au moins un de ses aspects les plus

1. Depuis, cet ouvrage a été publié en français par les Éditions Gonthier en livre de poche.

2. René Girard : *Mensonge romantique et vérité romanesque*. Paris, Grasset 1961.

importants (et qui est probablement, du point de vue génétique, son aspect primordial). La forme de roman qu'étudie Lukács est celle que caractérise l'existence d'un héros romanesque qu'il a très heureusement défini sous le terme de *héros problématique* [1].

Le roman est l'histoire d'une recherche *dégradée* (que Lukács appelle « démoniaque »), recherche de valeurs authentiques dans un monde dégradé lui aussi mais à un niveau autrement avancé et sur un mode différent.

Par valeurs authentiques, il faut comprendre, bien entendu, non pas les valeurs que le critique ou le lecteur estiment authentiques, mais celles qui, sans être manifestement présentes dans le roman, organisent sur le mode *implicite* l'ensemble de son univers. Il va de soi que ces valeurs sont spécifiques à chaque roman et différentes d'un roman à l'autre.

1. Il nous faut cependant indiquer que, selon nous, le champ de validité de cette hypothèse doit être rétréci car si elle s'applique à des ouvrages aussi importants dans l'histoire de la littérature que *Don Quichotte* de Cervantes, *le Rouge et le Noir* de Stendhal, *Madame Bovary* et *l'Éducation sentimentale* de Flaubert, elle ne saurait s'appliquer que très partiellement à *la Chartreuse de Parme* et nullement à l'œuvre de Balzac qui occupe une place considérable dans l'histoire du roman occidental. Telles quelles cependant, les analyses de Lukács permettent, nous semble-t-il, d'entreprendre une étude sociologique sérieuse de la forme romanesque.

Le roman étant un genre épique caractérisé, contrairement à l'épopée ou au conte, par la rupture insurmontable entre le héros et le monde, il y a chez Lukács une analyse de la nature des deux dégradations (celle du héros et celle du monde) qui doivent engendrer à la fois une *opposition constitutive*, fondement de cette rupture insurmontable et une *communauté suffisante* pour permettre l'existence d'une forme épique.

La rupture radicale seule aurait en effet abouti à la tragédie ou à la poésie lyrique, l'absence de rupture ou l'existence d'une rupture seulement accidentelle aurait conduit à l'épopée ou au conte. Situé entre les deux, le roman a une nature dialectique dans la mesure où il tient précisément, d'une part, de la communauté fondamentale du héros et du monde que suppose toute forme épique et, d'autre part, de leur rupture insurmontable ; la communauté du héros et du monde résultant du fait qu'ils sont l'un et l'autre dégradés par rapport aux valeurs authentiques, l'opposition résultant de la différence de nature entre chacune de ces deux dégradations.

Le héros *démoniaque* du roman est un fou ou un criminel, en tout cas, comme nous l'avons dit, un personnage *problématique* dont la recherche dégradée, et par là même inauthentique, de valeurs authentiques dans un monde de conformisme et de convention, constitue le contenu de ce nouveau genre littéraire que les écrivains ont créé dans la société individualiste et qu'on a appelé « roman ».

A partir de cette analyse, Lukács élabore une typologie du roman. Partant de la relation entre le héros et le monde, il distingue trois types schématiques du roman occidental au xixe siècle, auxquels s'ajoute un quatrième constituant, déjà, une transformation du genre romanesque vers des modalités nouvelles qui demanderaient une analyse de type différent. Cette quatrième possibilité lui paraît, en 1920, s'exprimer avant tout dans les romans de Tolstoï qui s'orientent vers l'épopée. Quant aux trois types constitutifs du roman sur lequel porte son analyse, ce sont :

a) Le roman de « l'idéalisme abstrait »; caractérisé par l'activité du héros et par sa conscience trop étroite par rapport à la complexité du monde. *(Don Quichotte, le Rouge et le Noir.)*

b) Le roman psychologique ; orienté vers l'analyse de la vie intérieure, caractérisé par la passivité du héros et sa conscience trop large pour se satisfaire de ce que le monde de la convention peut lui apporter (à ce type appartiendraient *Oblomov* et *l'Éducation sentimentale*). Et enfin

c) Le roman éducatif s'achevant par une *auto-*

limitation qui, tout en étant un renoncement à la recherche problématique, n'est cependant ni une acceptation du monde de la convention ni un abandon de l'échelle implicite des valeurs — auto-limitation qu'on doit caractériser par le terme de « maturité virile » (*Wilhelm Meister*, de Gœthe, ou *Der grüne Heinrich*, de Gottfried Keller).

Les analyses de René Girard, à quarante ans de distance, rejoignent très souvent celles de Lukács. Pour lui aussi, le roman est l'histoire d'une recherche dégradée (qu'il appelle « idolâtre ») de valeurs authentiques, par un héros problématique, dans un monde dégradé. La terminologie dont il use est d'origine heideggérienne, mais il lui confère souvent un contenu assez différent de celui que lui attribue Heidegger. Sans nous étendre sur cet aspect, disons que Girard, à la place de la dualité distinguée par Heidegger entre l'ontologique et l'ontique, utilise la dualité sensiblement voisine de l'ontologique et du métaphysique qui corres-pondent pour lui à l'authentique et à l'inauthen-tique ; mais alors que, pour Heidegger, toute idée de progrès et de recul est à éliminer, Girard confère à sa terminologie de l'ontologique et du méta-physique un contenu beaucoup plus proche des positions de Lukács que de celles de Heidegger, en introduisant entre les deux termes une relation régie par les catégories de progrès et de régression [1].

La typologie du roman de Girard repose sur l'idée que la dégradation de l'univers romanesque est le résultat d'un mal ontologique plus ou moins avancé (ce « plus ou moins » est rigoureusement

1. Dans la pensée de Heidegger, comme d'ailleurs dans celle de Lukács, il y a rupture radicale entre l'Être (chez Lukács, la Totalité) et tout ce dont on peut parler soit à l'indicatif (jugement de fait), soit à l'impératif (jugement de valeur).

C'est cette différence que Heidegger désigne comme celle de l'ontologique et de l'ontique. Et, dans cette perspective, la métaphysique, qui est une des formes les plus élevées et les plus générales de la pensée à l'indicatif, reste en dernière instance du domaine de l'ontique.

Concordantes sur la distinction nécessaire de l'ontologique et de l'ontique, de la totalité et du théorique, du moral ou du métaphysique, les positions de Heidegger et de Lukács sont essentiellement différentes dans la manière de concevoir leurs rapports.

Philosophie de l'histoire, la pensée de Lukács implique l'idée d'un devenir de la connaissance, d'un espoir de progrès et d'un risque de régression. Or le progrès, c'est pour lui le rapprochement entre la pensée positive et la catégorie de la totalité, la régression, l'éloignement de ces deux éléments en dernière instance inséparables, la tâche de la philosophie étant précisément l'introduction de la catégorie de la totalité comme fondement de toutes les recherches partielles et de toutes les réflexions sur les données positives.

Heidegger, en revanche, établit une séparation radicale (et, par cela même, abstraite et conceptuelle) entre l'Être et le donné, entre l'ontologique et l'ontique, entre la philosophie et la science positive, éliminant ainsi toute idée de progrès et de régression. Il aboutit, lui aussi, à une philosophie de l'histoire, mais à une philosophie abstraite à deux dimensions, l'authentique et l'inauthentique, l'ouverture à l'Être et l'oubli de l'Être.

Comme on le voit, si la terminologie de Girard est bien d'origine heideggérienne, l'introduction des catégories de progrès et de régression le rapproche des positions de Lukács.

contraire à la pensée de Heidegger) auquel correspond à l'intérieur du monde romanesque un accroissement du désir métaphysique, c'est-à-dire du désir dégradé.

Elle est donc fondée sur l'idée de dégradation, et c'est ici que Girard apporte à l'analyse lukácsienne une précision qui nous paraît particulièrement importante. A ses yeux, en effet, la dégradation du monde romanesque, le progrès du mal ontologique et l'accroissement du désir métaphysique se manifestent par une *médiatisation* plus ou moins grande, qui accroît progressivement la distance entre le désir métaphysique et la recherche authentique, la recherche de la « transcendance verticale ».

Dans l'ouvrage de Girard les exemples de médiation abondent, des romans de chevalerie qui s'interposent entre *Don Quichotte* et la recherche des valeurs chevaleresques, à l'amant qui s'interpose entre le mari et son désir de la femme, dans *l'Éternel Mari* de Dostoïevski. Ses exemples ne nous paraissent d'ailleurs pas toujours choisis avec le même bonheur. Nous ne sommes pas certains non plus que la médiatisation soit une catégorie aussi universelle du monde romanesque que le pense Girard. Le terme de dégradation nous semble plus vaste et plus approprié, à condition bien entendu

de préciser la nature de cette dégradation lors
de chaque analyse particulière.

Il n'en reste pas moins qu'en mettant en lumière
la catégorie de la médiation, et en exagérant même
son importance, Girard a précisé l'analyse d'une
structure qui comporte non seulement la forme
de dégradation la plus importante parmi celles qui
caractérisent le monde romanesque, mais très probablement la forme qui est génétiquement première, celle qui a fait naître le genre littéraire du
roman, ce dernier ayant engendré par la suite
d'autres formes dérivées de dégradation.

A partir de là, la typologie de Girard est fondée
d'abord sur l'existence de deux formes de médiation, externe et interne, la première caractérisée
par le fait que l'agent médiateur est extérieur au
monde dans lequel se déroule la recherche du
héros (par exemple les romans de chevalerie dans
Don Quichotte), la deuxième par le fait que l'agent
médiateur fait partie de ce monde (l'amant dans
l'*Éternel Mari*).

A l'intérieur de ces deux grands groupes qualitativement différents, il y a chez Girard l'idée d'un progrès de la dégradation qui se manifeste par la pro-
ximité croissante entre le personnage romanesque et
l'agent médiateur, et la distanciation croissante
entre ce personnage et la *transcendance verticale*.

Essayons maintenant de préciser un point essentiel sur lequel Lukács et Girard sont en désaccord fondamental. Histoire d'une recherche dégradée de valeurs authentiques dans un monde inauthentique, le roman est nécessairement à la fois une biographie et une chronique sociale ; fait particulièrement important, la situation de l'écrivain par rapport à l'univers qu'il a créé est, dans le roman, différente de sa situation par rapport à l'univers de toutes les autres formes littéraires. Cette situation particulière, Girard l'appelle *humour ;* Lukács *ironie.* Tous deux sont d'accord sur le fait que le romancier doit dépasser la conscience de ses héros et que ce dépassement (humour ou ironie) est esthétiquement constitutif de la création romanesque. Mais ils se séparent sur la nature de ce dépassement et, sur ce point, c'est la position de Lukács qui nous paraît acceptable et non celle de Girard.

Pour Girard, le romancier a quitté, au moment où il écrit son œuvre, le monde de la dégradation pour retrouver l'authenticité, la transcendance verticale. C'est pourquoi il pense que la plupart des grands romans finissent par une conversion du héros à cette transcendance verticale et que le caractère abstrait de certaines fins *(Don Quichotte, le Rouge et le Noir,* on pourrait citer aussi *la Prin-*

cesse de Clèves) est, soit une illusion du lecteur, soit le résultat de survivances du passé dans la conscience de l'écrivain.

Une pareille affirmation est rigoureusement contraire à l'esthétique de Lukács pour laquelle toute *forme littéraire* (et toute grande forme artistique en général) est née du besoin d'exprimer un contenu *essentiel*. Si vraiment la dégradation romanesque était dépassée par l'écrivain, et même par la conversion finale d'un certain nombre de héros, l'histoire de cette dégradation ne serait plus que celle d'un fait divers et son expression aurait tout au plus le caractère d'un récit plus ou moins divertissant.

Et pourtant l'ironie de l'écrivain, son autonomie par rapport à ses personnages, la conversion finale des héros romanesques sont des réalités incontestables.

Lukács pense cependant que, précisément, dans la mesure où le roman est la création imaginaire d'un univers régi par la dégradation *universelle,* ce dépassement ne saurait être lui-même que dégradé, *abstrait,* conceptuel et non vécu en tant que réalité concrète.

L'ironie du romancier porte, selon Lukács, non seulement sur le héros dont il connaît le caractère démoniaque, mais aussi sur le caractère abstrait et par cela même insuffisant et dégradé de sa propre conscience. C'est pourquoi l'histoire de la recherche dégradée, démoniaque ou idolâtre, reste toujours la seule possibilité d'exprimer des réalités essentielles.

La conversion finale de Don Quichotte ou de Julien Sorel n'est pas, comme le croit Girard, l'accès à l'authenticité, à la transcendance verticale, mais simplement la prise de conscience de la vanité, du caractère dégradé non seulement de la recherche antérieure, mais aussi de tout espoir, de toute recherche possible.

C'est pourquoi elle est une fin et non un commencement et c'est l'existence de cette ironie (laquelle est toujours aussi une auto-ironie) qui permet à Lukács deux définitions apparentées qui nous paraissent particulièrement heureuses de cette forme romanesque : *Le chemin est commencé, le voyage est terminé*, et *Le roman est la forme de la maturité virile*, cette dernière formule définissant plus précisément, comme nous l'avons vu, le roman éducatif du type Wilhelm Meister, qui s'achève par une auto-limitation (renoncement à la recherche problématique sans que soit pour autant accepté le monde de la convention ni abandonnée l'échelle implicite des valeurs).

Ainsi le roman, dans le sens que lui donnent

Lukács et Girard, apparaît-il comme un genre littéraire dans lequel les valeurs authentiques, dont il est toujours question, ne sauraient être présentes dans l'œuvre sous la forme de personnages conscients ou de réalités concrètes. Ces valeurs n'existent que sous une forme abstraite et conceptuelle dans la conscience du romancier où elles revêtent un caractère *éthique*. Or les idées abstraites n'ont pas de place dans une œuvre littéraire où elles constitueraient un élément hétérogène.

Le problème du roman est donc de faire de ce qui dans la conscience du romancier est *abstrait et éthique* l'élément essentiel d'une œuvre où cette réalité ne saurait exister que sur le mode d'une absence non thématisée (médiatisée, dirait Girard) ou, ce qui est équivalent, d'une présence dégradée. Comme l'écrit Lukács, le roman est le seul genre littéraire où l'*éthique du romancier devient un problème esthétique de l'œuvre*.

Or, le problème d'une sociologie du roman a toujours préoccupé les sociologues de la littérature sans que jusqu'ici ils aient fait, nous semble-t-il, un pas décisif dans la voie de son élucidation. Au fond, le roman étant, pendant toute la première partie de son histoire, une biographie et une chronique sociale, on a toujours pu montrer que la

chronique sociale reflétait plus ou moins la société
de l'époque, constatation pour laquelle il n'est
vraiment pas besoin d'être sociologue.

D'autre part, on a aussi mis en relation la transformation du roman depuis Kafka et les analyses
marxistes de la réification. Là aussi, il faut dire
que les sociologues sérieux auraient dû voir un
problème plutôt qu'une explication. S'il est évident que le monde absurde de Kafka, de *l'Étranger*
de Camus, ou le monde composé d'objets relativement autonomes de Robbe-Grillet, correspondent à l'analyse de la réification telle qu'elle a
été développée par Marx et les marxistes ultérieurs, le problème se pose de savoir pourquoi,
alors que cette analyse était élaborée dans la
seconde moitié du xixe siècle et qu'elle concernait
un phénomène dont l'apparition se situe bien
auparavant, ce même phénomène ne s'est mani-
festé dans le roman qu'à partir de la fin de la
Première Guerre mondiale.

Bref toutes ces analyses portaient sur la relation de certains éléments du *contenu* de la littérature romanesque et de l'existence d'une réalité
sociale qu'ils reflétaient presque sans transposition
ou à l'aide d'une transposition plus ou moins
transparente.

Or, le tout premier problème qu'aurait dû

aborder une sociologie du roman est celui de la relation entre la *forme romanesque* elle-même et la *structure* du milieu social à l'intérieur duquel elle s'est développée, c'est-à-dire du roman comme genre littéraire et de la société individualiste moderne.

Il nous semble aujourd'hui que la réunion des analyses de Lukács et de Girard, bien qu'elles aient été élaborées l'une et l'autre sans préoccupations spécifiquement sociologiques, permet, sinon d'élucider entièrement ce problème, du moins de faire un pas décisif vers son élucidation.

Nous venons de dire en effet que le roman se caractérise comme l'histoire d'une recherche de valeurs authentiques sur un mode dégradé, dans une société dégradée, dégradation qui, en ce qui concerne le héros, se manifeste principalement par la médiatisation, la réduction des valeurs authentiques au niveau implicite et leur disparition en tant que réalités manifestes. De toute évidence, c'est là une structure particulièrement complexe et il serait difficile d'imaginer qu'elle ait pu naître un jour de la seule invention individuelle sans aucun fondement dans la vie sociale du groupe.

Ce qui serait cependant tout à fait inconcevable, c'est qu'une forme littéraire d'une telle complexité dialectique se retrouvât, des siècles durant, chez des écrivains les plus différents, dans les pays les plus divers, qu'elle devînt la forme par excellence par laquelle s'est exprimé, sur le plan littéraire, le contenu de toute une époque, sans qu'il y ait eu soit homologie, soit relation significative entre cette forme et les aspects les plus importants de la vie sociale.

L'hypothèse que nous présentons à ce propos nous paraît particulièrement simple et surtout suggestive et vraisemblable bien qu'il nous ait fallu des années pour la trouver.

La forme romanesque nous paraît être en effet *la transposition sur le plan littéraire de la 'vie quotidienne dans la société individualiste née de la production pour le marché.* Il existe une *homologie rigoureuse* entre la forme littéraire du roman, telle que nous venons de la définir à la suite de Lukács et de Girard, et la relation quotidienne des hommes avec les biens en général, et par extension, des hommes avec les autres hommes, dans une société productrice pour le marché.

La relation naturelle, saine, des hommes et des biens est en effet celle où la production est consciemment régie par la consommation à venir, par les qualités concrètes des objets, par leur *valeur d'usage.*

Or ce qui caractérise la production pour le marché, c'est au contraire l'élimination de cette relation de la conscience des hommes, sa réduction à l'implicite grâce à la médiation de la nouvelle réalité économique créée par cette forme de production : *la valeur d'échange.*

Dans les autres formes de société, lorsqu'un homme avait besoin d'un vêtement ou d'une maison, il devait les produire lui-même ou les demander à un individu capable de les produire et qui devait ou pouvait les lui fournir, soit en vertu de certaines règles traditionnelles, soit pour des raisons d'autorité, d'amitié, etc., soit en contre-partie de certaines prestations [1].

Aujourd'hui, pour obtenir un vêtement ou une maison, il importe de trouver l'argent nécessaire à leur achat. Le producteur d'habits ou de maisons est indifférent aux valeurs d'usage des objets qu'il produit. A ses yeux, celles-ci ne sont qu'un mal nécessaire pour obtenir ce qui seul l'intéresse, une valeur d'échange suffisante à assurer la ren-

1. Tant que l'échange reste *sporadique* parce qu'il porte seulement sur les excédents ou qu'il a le caractère d'un échange de valeurs d'usage que des individus ou des groupes ne sauraient produire à l'intérieur d'une économie essentiellement naturelle, la structure mentale de la médiation n'apparaît pas ou reste secondaire. La transformation fondamentale dans le développement de la réification résulte de l'avènement de la *production pour le marché.*

tabilité de son entreprise. Dans la vie économique, qui constitue la partie la plus importante de la vie sociale moderne, toute relation authentique avec l'aspect qualitatif des objets et des êtres tend à disparaître, aussi bien des relations entre les hommes et les choses que des relations inter-humaines, pour être remplacée par une relation médiatisée et dégradée : la relation avec les valeurs d'échange purement quantitatives.

Naturellement, les valeurs d'usage continuent à exister et régissent même, en dernière instance, l'ensemble de la vie économique ; mais leur action prend un caractère *implicite, exactement comme celle des valeurs authentiques dans le monde roma-nesque.*

Sur le plan conscient et manifeste, *la vie éco-nomique* se compose de gens orientés exclusive-ment vers les valeurs d'échange, valeurs dégradées, auxquels s'ajoutent dans la production quelques individus — les créateurs dans tous les domaines — qui restent orientés essentiellement vers les valeurs d'usage et qui par cela même se situent en marge de la société et deviennent *des individus problématiques* ; et naturellement, même ceux-ci, à moins d'accepter l'illusion (Girard dirait le men-songe) romantique de la rupture *totale* entre l'essence et l'apparence, entre la vie intérieure et la vie sociale, ne sauraient se leurrer sur les dégradations que subit leur activité créatrice dans la société productrice pour le marché, dès qu'elle se manifeste à l'extérieur, dès qu'elle devient livre, tableau, enseignement, composition musicale, etc., jouissant d'un certain prestige, et ayant par cela même un certain prix. Ce à quoi il faut ajouter qu'en tant que consommateur dernier, opposé, dans l'acte même de l'échange, aux producteurs, tout individu, dans la société productrice pour le marché, se trouve à certains moments de la journée en situation de viser des valeurs d'usage qualitatives qu'il ne peut atteindre que par la médiation des valeurs d'échange.

Dès lors, la création du roman en tant que genre littéraire n'a rien de surprenant. La forme extrêmement complexe qu'il représente en apparence est celle dans laquelle vivent les hommes tous les jours, lorsqu'ils sont obligés de rechercher toute qualité, toute valeur d'usage sur un mode dégradé par la médiation de la quantité, de la valeur d'échange, et cela dans une société où tout effort pour s'orienter *directement* vers la valeur d'usage ne saurait engendrer que des individus eux aussi dégradés, mais sur un mode différent, celui de *l'individu problématique.*

Ainsi les deux structures, celle d'un important

genre romanesque et celle de l'échange, s'avèrent-
elles rigoureusement homologues, au point qu'on
pourrait parler d'une seule et même structure qui
se manifesterait sur deux plans différents. De plus,
comme nous le verrons plus loin, l'*évolution* de
la forme romanesque qui correspond au monde
de la réification ne saurait être comprise que dans
la mesure où on la mettra en relation avec une
histoire homologue des structures de cette dernière.

Avant de formuler cependant quelques remarques au sujet de cette homologie des deux évolutions, il nous faut examiner le problème particulièrement important pour le sociologue du processus grâce auquel la forme littéraire a pu naître
à partir de la réalité économique, et des modifications que l'étude de ce processus nous oblige
à introduire dans la représentation traditionnelle
du conditionnement sociologique de la création
littéraire.

Un premier fait est frappant ; le schème traditionnel de la sociologie littéraire, marxiste ou
non, ne saurait s'appliquer dans le cas d'homologie
structurelle que nous venons de mentionner. La
plupart des travaux de sociologie littéraire éta-
blissaient en effet une relation entre les ouvrages
littéraires les plus importants et la *conscience* collective de tel ou tel groupe social à l'intérieur des-

quels ils sont nés. Sur ce point, la position marxiste traditionnelle ne différait pas essentiellement de l'ensemble des travaux sociologiques non marxistes par rapport auxquels elle n'introduisait que quatre idées nouvelles, à savoir :

a) L'œuvre littéraire n'est pas le simple reflet d'une conscience collective réelle et donnée, mais l'aboutissement à un niveau de cohérence très poussé des tendances propres à la conscience de tel ou tel groupe, conscience qu'il faut concevoir comme une réalité dynamique, orientée vers un certain état d'équilibre. Au fond, ce qui sépare, dans ce domaine comme dans tous les autres, la sociologie marxiste des tendances sociologiques positivistes, relativistes ou éclectiques, c'est le fait qu'elle voit le concept clé non pas dans la conscience collective *réelle*, mais dans le concept construit (zugerechnet) de *conscience possible*, qui, seul, permet de comprendre la première.

b) La relation entre la pensée collective et les grandes créations individuelles littéraires, philosophiques, théologiques, etc., réside non pas dans une identité de contenu, mais dans une cohérence plus poussée et dans une homologie de structures, laquelle peut s'exprimer par des contenus imaginaires extrêmement différents du contenu réel de la conscience collective.

c) L'œuvre correspondant à la structure mentale de tel ou tel groupe social peut être élaborée dans certains cas, bien rares il est vrai, par un individu ayant très peu de relations avec ce groupe. Le caractère *social* de l'œuvre réside surtout en ce qu'un individu ne saurait jamais établir par lui-même une structure mentale cohérente correspondant à ce qu'on appelle une « vision du monde ». Une telle structure ne saurait être élaborée que par un groupe, l'individu pouvant seulement la pousser à un degré de cohérence très élevée et la transposer sur le plan de la création imaginaire, de la pensée conceptuelle, etc.

d) La conscience collective n'est ni une réalité première, ni une réalité autonome ; elle s'élabore implicitement dans le comportement global des individus participant à la vie économique, sociale, politique, etc.

Ce sont là, on le voit, des thèses extrêmement importantes qui suffisent à établir une très grande différence entre la pensée marxiste et les autres conceptions de la sociologie de la littérature. Néanmoins, et malgré ces différences, il reste que, tout comme la sociologie littéraire positiviste ou relativiste, les théoriciens marxistes ont toujours pensé que la vie sociale ne saurait s'exprimer sur le plan littéraire, artistique ou philosophique qu'à travers le chaînon intermédiaire de la conscience collective.

Or, dans le cas que nous venons d'étudier, ce qui frappe en tout premier lieu, c'est le fait que si nous trouvons une homologie rigoureuse entre les structures de la vie économique et une certaine manifestation littéraire particulièrement importante, on ne peut déceler aucune structure analogue au niveau *de la conscience collective* qui semblait jusque-là le chaînon intermédiaire indispensable pour réaliser soit l'homologie, soit une relation intelligible et significative entre les différents aspects de l'existence sociale.

Le roman analysé par Lukács et Girard ne semble plus être la transposition imaginaire des *structures conscientes* de tel ou tel groupe particulier, mais paraît exprimer au contraire (et peut-être est-ce là le cas d'une très grande partie de l'art moderne en général) une recherche de valeurs qu'aucun groupe social ne défend effectivement et que la vie économique tend à rendre implicites chez tous les membres de la société.

L'ancienne thèse marxiste qui voyait dans le prolétariat le seul groupe social pouvant constituer le fondement d'une culture nouvelle, du fait qu'il n'était pas intégré à la société réifiée, partait de la représentation sociologique traditionnelle qui supposait que toute création culturelle authentique et importante ne pouvait naître que d'un accord fondamental entre la structure mentale du créateur et celle d'un groupe partiel plus ou moins vaste, mais à visée universelle. En réalité, pour la société occidentale tout au moins, l'analyse marxiste s'est révélée insuffisante ; le prolétariat occidental, loin de rester étranger à la société réifiée et de s'y opposer en tant que force révolutionnaire, s'y est au contraire intégré dans une large mesure, et son action syndicale et politique, loin de bouleverser cette société et de la remplacer par un monde socialiste, lui a permis de s'y assurer une place relativement meilleure que celle que laissaient prévoir les analyses de Marx.

Et néanmoins, la création culturelle, bien que de plus en plus menacée par la société réifiée, n'a pas cessé pour autant. La littérature romanesque, comme peut-être la création poétique moderne et la peinture contemporaine, sont des formes authentiques de création culturelle sans qu'on puisse les rattacher à la conscience — même possible — d'un groupe social particulier.

Avant d'aborder l'étude des processus qui ont permis et produit cette transposition *directe* de la vie économique dans la vie littéraire, constatons que si un pareil processus semble contraire à toute la tradition des études marxistes sur la création culturelle, il confirme, par contre, d'une manière tout à fait inattendue, une des plus importantes analyses marxistes de la pensée bourgeoise, à savoir la théorie du fétichisme de la marchandise et de la réification. Cette analyse, que Marx considérait comme une de ses découvertes les plus importantes, affirmait en effet que dans les sociétés produisant pour le marché (c'est-à-dire dans les types de société où prédomine l'activité économique), la conscience collective perd progressivement toute réalité active et tend à devenir un simple reflet [1] de la vie économique et, à la limite, à disparaître.

Il y avait ainsi de toute évidence entre cette analyse *particulière* de Marx et la théorie générale de la création littéraire et philosophique des marxistes postérieurs qui supposait un rôle actif de la conscience collective non pas une contradiction,

---

1. Nous parlons d'une « conscience-reflet », lorsque le contenu de cette conscience et l'ensemble des relations entre les différents éléments de ce contenu (ce que nous appelons sa structure) subissent l'action de certains autres domaines de la vie sociale, sans agir à leur tour sur eux. En pratique, cette situation n'a probablement jamais été atteinte dans la réalité de la société capitaliste. Celle-ci crée cependant une tendance à la diminution rapide et progressive de l'action de la conscience sur la vie économique et, inversement, à l'accroissement continuel de l'action du secteur économique de la vie sociale sur le contenu et la structure de la conscience.

mais une incohérence, cette dernière théorie
n'ayant jamais envisagé les conséquences pour la
sociologie littéraire de l'affirmation de Marx selon
laquelle survient dans les sociétés produisant pour
le marché une modification radicale du statut de
la conscience individuelle et collective, et implicitement des rapports entre l'infra et la super-
structure. L'analyse de la réification élaborée tout
d'abord par Marx sur le plan de la vie quotidienne,
développée ensuite par Lukács en ce qui concerne
la pensée philosophique, scientifique et politique,
reprise ultérieurement par un certain nombre de
théoriciens dans différents domaines particuliers
et sur laquelle nous avons nous-même publié une
étude, s'avère ainsi, pour l'instant du moins,
confirmée par les faits dans l'analyse sociologique
d'une certaine forme romanesque.

Cela dit, la question se pose de savoir comment
se fait la liaison entre les structures économiques
et les manifestations littéraires dans une société
où cette liaison a lieu *en dehors de la conscience
collective.*

Nous avons, à ce sujet, formulé l'hypothèse de
l'action convergente de quatre facteurs différents,
à savoir :

a) La naissance dans la pensée des membres
de la société bourgeoise, à partir du comportement

économique et de l'existence de la valeur d'échange, de la *catégorie de la médiation* comme forme fondamentale et de plus en plus développée de pensée, avec la tendance implicite à remplacer cette pensée par une fausse conscience totale dans laquelle la valeur médiatrice deviendra valeur absolue et où la valeur médiatisée disparaîtra entièrement ou, dans un langage plus clair, avec la tendance à penser l'accès à toutes les valeurs sous l'angle de la médiation avec la propension à faire de l'argent et du prestige social des valeurs absolues et non plus de simples médiations assurant l'accès à d'autres valeurs de caractère qualitatif.

b) La subsistance dans cette société d'un certain nombre d'individus essentiellement *problématiques* dans la mesure où leur pensée et leur comportement restent dominés par des valeurs qualitatives, sans qu'ils puissent cependant les soustraire entièrement à l'existence de la médiation dégradante dont l'action est générale dans l'ensemble de la structure sociale.

Parmi ces individus, se situent en premier lieu tous les créateurs, écrivains, artistes, philosophes, théologiens, hommes d'action, etc., dont la pensée et le comportement sont régis avant tout par la qualité de leur œuvre sans qu'ils puissent échapper entièrement à l'action du marché et à l'accueil de la société réifiée.

c) Aucune œuvre importante ne pouvant être l'expression d'une expérience purement individuelle, il est probable que le genre romanesque n'a pu naître et se développer que dans la mesure où un mécontentement affectif *non conceptualisé*, une aspiration affective à la visée directe des valeurs qualitatives, se sont développés soit dans l'ensemble de la société, soit peut-être uniquement parmi les couches moyennes à l'intérieur desquelles se sont recrutés la plupart des romanciers [1].

1. Ici se pose un problème difficile à trancher dès maintenant et qu'on pourra peut-être un jour résoudre par des recherches sociologiques concrètes. Celui de la « caisse de résonance » collective affective et non conceptualisée qui a permis le développement de la forme romanesque.

Dans un premier temps, nous avions pensé que la réification, tout en tendant à dissoudre et à intégrer à la société globale les différents groupes partiels, et, par cela même, à leur enlever jusqu'à un certain point leur spécificité, a un caractère tellement contraire à la réalité aussi bien biologique que psychologique de l'individu humain, qu'elle doit engendrer chez *tous* les individus humains, à un degré plus ou moins fort, des réactions d'opposition (ou, si elle se dégrade de manière qualitativement plus avancée, des réactions d'évasion) *créant* ainsi une résistance diffuse au monde réifié, résistance qui constituerait l'arrière-plan de la création romanesque.

Par la suite, il nous a cependant semblé qu'il y avait là une supposition *a priori* non contrôlée : celle de l'existence d'une nature biologique dont les manifestations extérieures ne sauraient pas être entièrement dénaturées par la réalité sociale.

Or il se peut tout aussi bien que les résistances, même affectives, à la réification soient circonscrites à certaines couches sociales particulières que devra délimiter la recherche positive.

d) Il y avait enfin, dans les sociétés libérales productrices pour le marché, un ensemble de valeurs qui, sans être trans-individuelles, avaient néanmoins une visée universelle et, à l'intérieur de ces sociétés, une validité générale. C'étaient les valeurs de l'individualisme libéral liées à l'existence même du marché concurrentiel (liberté, égalité, propriété en France, *Bildungsideal* en Allemagne, avec leurs dérivés, tolérance, droits de l'homme, développement de la personnalité, etc.). A partir de ces valeurs, s'est développée la catégorie de la biographie *individuelle* qui est devenue l'élément constitutif du roman où elle a pris cependant la forme de l'individu *problématique*, ceci à partir :

1° De l'expérience personnelle des individus problématiques déjà mentionnés plus haut au point *b*) ;

2° De la contradiction interne entre l'individualisme comme valeur universelle engendrée par la société bourgeoise et les limitations importantes et pénibles que cette société apportait en réalité elle-même aux possibilités de développement des individus.

Ce schéma hypothétique nous semble confirmé entre autres choses par le fait que, lorsque l'un de ces quatre éléments, l'individualisme, a été amené à disparaître par la transformation de la vie économique et le remplacement de l'économie de libre concurrence par une économie de cartels et de monopoles (transformation qui commence à la fin du xixe siècle, mais dont la plupart des économistes situent le tournant qualitatif entre 1900 et 1910), nous assistons à une transformation parallèle de la forme romanesque qui aboutit à la dissolution progressive et à la disparition du personnage individuel, du héros; transformation qui nous paraît caractérisée de manière extrêmement schématique par l'existence de deux périodes :

a) La première, transitoire, pendant laquelle la disparition de l'importance de l'individu entraîne les tentatives de remplacement de la biographie comme contenu de l'œuvre romanesque par des valeurs nées d'idéologies différentes. Car si, dans les sociétés occidentales, ces valeurs se sont avérées trop faibles pour engendrer des formes littéraires propres, elles pouvaient éventuellement servir d'appoint à une forme déjà existante, qui était en train de perdre son ancien contenu. Sur ce plan se situent en tout premier lieu les idées de communauté et de réalité collective (institutions, famille, groupe social, révolution, etc.) que l'idéologie socialiste avait introduites et développées dans la pensée occidentale.

b) La deuxième période, qui commence à peu près avec Kafka pour aller jusqu'au nouveau roman contemporain et qui n'est pas encore achevée, se caractérise par l'abandon de tout essai de remplacer le héros problématique et la biographie individuelle par une autre réalité et par l'effort pour écrire le roman de l'absence du sujet, de la non-existence de toute recherche qui progresse [1].

Il va de soi que cette tentative pour sauvegarder la forme romanesque en lui donnant un contenu, apparenté sans doute au contenu du roman traditionnel (celui-ci était depuis toujours la forme littéraire de la recherche problématique et de l'absence des valeurs positives), mais néanmoins essentiellement différent (il s'agit maintenant d'éliminer deux éléments essentiels du contenu spécifique du roman : la psychologie du héros problématique et l'histoire de sa recherche démoniaque), devait engendrer en même temps des orientations parallèles vers des formes différentes d'expression. Peut-être y a-t-il là des éléments pour une socio-

---

1. Lukács caractérisait le temps du roman traditionnel par la proposition : « Le chemin est commencé, le voyage est terminé. » On pourrait caractériser le nouveau roman par la suppression de la première moitié de cet énoncé. Son temps serait caractérisé soit par l'énoncé : « L'aspiration est là mais le voyage est fini » (Kafka, Nathalie Sarraute), soit simplement par la constatation que « le voyage est déjà fini, sans que le chemin soit jamais commencé » (les trois premiers romans de Robbe-Grillet).

logie du théâtre de l'absence (Beckett, Ionesco, Adamov pendant une certaine période) et aussi de certains aspects de la peinture non figurative.

Mentionnons enfin un dernier problème qui pourrait et devrait donner lieu à des recherches ultérieures. La forme romanesque que nous venons d'étudier est, par essence, critique et oppositionnelle. Elle est une forme de résistance à la société bourgeoise en train de se développer. Résistance individuelle qui n'a pu s'appuyer, à l'intérieur d'un groupe, que sur des processus psychiques *affectifs et non conceptualisés* précisément parce que des résistances conscientes qui auraient pu élaborer des formes littéraires impliquant la possibilité d'un héros positif (en premier lieu la conscience oppositionnelle prolétarienne telle que l'espérait et la prévoyait Marx) ne se sont pas suffisamment développées dans les sociétés occidentales. Le roman à héros problématique s'avère ainsi, contrairement à l'opinion traditionnelle, comme une forme littéraire liée sans doute à l'histoire et au développement de la bourgeoisie, mais qui n'est pas l'expression de la conscience réelle ou possible de cette classe.

Mais le problème se pose de savoir si, parallèlement à cette forme littéraire, ne se sont pas développées d'autres formes qui correspondraient aux valeurs conscientes et aux aspirations effectives de la bourgeoisie ; et, sur ce point, nous nous permettons de mentionner, à titre de suggestion tout à fait générale et hypothétique, l'éventualité selon laquelle l'œuvre de Balzac — dont il faudrait précisément, à partir de là, analyser la structure — constituerait la seule grande expression littéraire de l'univers structuré par les valeurs conscientes de la bourgeoisie : individualisme, soif de puissance, argent, érotisme qui triomphent des anciennes valeurs féodales de l'altruisme, de la charité et de l'amour.

Sociologiquement, cette hypothèse, si elle se révélait exacte, pourrait être reliée au fait que l'œuvre de Balzac se situe précisément à une époque où l'individualisme, en soi anhistorique, structurait la conscience d'une bourgeoisie qui était en train de construire une nouvelle société et se trouvait au niveau le plus élevé et le plus intense de sa réelle efficacité historique.

Subsidiairement, il faudra se demander aussi pourquoi, à l'exception de ce cas unique, cette forme de littérature romanesque n'a eu qu'une importance secondaire dans l'histoire de la culture occidentale, pourquoi la conscience réelle et les aspirations de la bourgeoisie n'ont jamais plus réussi, au cours du XIXe et du XXe siècle, à créer une forme littéraire propre qui puisse se situer au même niveau que les autres formes qui constituent la grande littérature occidentale.

Sur ce point, nous nous permettons de formuler quelques hypothèses tout à fait générales. L'analyse que nous venons de développer étend à une des formes romanesques les plus importantes une affirmation qui nous paraît maintenant valable pour presque toutes les formes de *création culturelle authentique* et par rapport à laquelle la seule exception que nous voyions pour le moment est constituée précisément par l'œuvre de Balzac [1], qui a pu créer un grand univers littéraire structuré par des valeurs purement individualistes, à un moment historique où, concurremment, les hommes animés par ces valeurs anhistoriques étaient en train d'accomplir un bouleversement historique considérable (bouleversement qui, au fond, ne s'est achevé en France qu'avec la fin de

1. Il y a un an, traitant des mêmes problèmes et mentionnant l'existence du roman à héros problématique et de la sous-littérature romanesque à héros positif, nous écrivions : « Nous conclurons enfin cet article sur un grand point d'interrogation, celui de l'étude sociologique de l'œuvre de Balzac. Celle-ci nous semble en effet constituer une forme romanesque propre, qui intègre des éléments importants appartenant aux deux types de roman que nous venons de mentionner et représente probablement la manifestation romanesque la plus importante de l'histoire. »

Les remarques formulées dans les présentes pages essayent de préciser quelque peu l'hypothèse entrevue dans ces lignes.

la révolution bourgeoise en 1848). A cette exception près (peut-être faudra-t-il y ajouter encore
quelques autres rares exceptions éventuelles auxquelles nous ne pensons pas pour l'instant), il nous
semble qu'il n'y a création littéraire et artistique
que là où il y a aspiration au dépassement de l'individu et recherche de valeurs qualitatives transindividuelles. « L'homme passe l'homme », avons-
nous écrit en modifiant légèrement un texte de
Pascal. Cela signifie que l'homme ne saurait être
authentique que dans la mesure où il se conçoit
ou se sent comme partie d'un ensemble en devenir et se situe dans une dimension trans-indivi-
duelle historique ou transcendante. Or la pensée
bourgeoise, liée, comme la société bourgeoise elle-
même, à l'existence de l'activité économique, est
précisément dans l'histoire la première pensée
à la fois radicalement profane et anhistorique ; la première pensée dont la tendance est de
nier tout sacré, qu'il s'agisse du sacré céleste des
religions transcendantes ou du sacré immanent
de l'avenir historique. C'est, nous semble-t-il, la
raison fondamentale pour laquelle la société bourgeoise a créé la première forme de conscience radicalement anesthétique. Le caractère essentiel de
la pensée bourgeoise, le rationalisme, ignore dans
ses expressions extrêmes l'existence même de

l'art. Il n'y a pas d'esthétique cartésienne ou spinoziste, et même pour Baumgarten, l'art n'est qu'une forme inférieure de connaissance.

Ce n'est donc pas un hasard si, à l'exception de quelques situations particulières nous ne trouvons pas de grandes manifestations littéraires de la conscience bourgeoise proprement dite. Dans la société liée au marché, l'artiste est, comme nous l'avons déjà dit, un être problématique, et cela signifie critique et opposé à la société.

Néanmoins, la pensée bourgeoise réifiée avait ses valeurs thématiques, valeurs parfois authentiques comme celles de l'invidualisme, parfois purement conventionnelles, que Lukács appelait la fausse conscience et dans leurs formes extrêmes la mauvaise foi, et Heidegger, le bavardage. Ces stéréotypes, authentiques ou conventionnels, thématisés dans la conscience collective, devaient pouvoir engendrer, à côté de la forme romanesque authentique, une littérature parallèle racontant elle aussi une histoire individuelle et pouvant naturellement, puisqu'il s'agit de valeurs conceptualisées, comporter un héros positif.

Il serait intéressant de suivre les méandres de ces formes romanesques secondaires que l'on pourrait fonder naturellement sur la conscience collective. On aboutirait peut-être — nous n'en avons pas encore fait l'étude — à une gamme très variée, depuis les formes les plus basses du type Delly aux formes les plus élevées qui se trouveraient peut-être chez les écrivains comme Alexandre Dumas ou Eugène Sue. C'est aussi peut-être sur ce plan qu'il faut situer, parallèlement au nouveau roman, certaines œuvres à grand succès liées aux nouvelles formes de la conscience collective.

Quoi qu'il en soit, l'esquisse extrêmement schématique que nous venons de tracer nous semble pouvoir fournir le cadre d'une étude sociologique de la forme romanesque. Étude d'autant plus importante qu'en dehors de son objet propre elle pourrait constituer une contribution non négligeable à l'étude des structures psychiques de certains groupes sociaux et notamment des couches moyennes.

*Introduction
à une étude structurale
des romans de Malraux*

Pour fixer les limites du présent travail, disons d'emblée qu'il ne prétend en aucun cas être une étude sociologique achevée des écrits littéraires de Malraux.

Une pareille étude supposerait en effet d'une part, la mise en lumière d'un certain nombre de structures significatives susceptibles de rendre compte au moins en grande partie du contenu et du caractère formel de ces écrits, et d'autre part la démonstration soit de l'homologie soit de la possibilité de trouver une relation significative entre les structures de cet univers littéraire et un certain nombre d'autres structures sociales, économiques, politiques, religieuses, etc.

Or, notre recherche se situe encore au premier stade, celui de l'analyse interne, destinée à ébaucher une première esquisse de structures signifi•

catives *immanentes à l'œuvre*, esquisse qui sera
très probablement modifiée et précisée par la
recherche ultérieure des homologies et des relations significatives avec les structures intellectuelles, sociales, politiques ou économiques de
l'époque au cours de laquelle elles ont été élaborées.

Tels quels, cependant, il nous a semblé que,
même à ce stade provisoire, les résultats de cette
étude, bien qu'hypothétiques, présentaient assez
d'intérêt pour faire l'objet d'une publication.

En étudiant l'œuvre de Malraux, un premier
fait frappe tout d'abord : entre ses premiers écrits :
Royaume Farfelu, *Lunes en Papier*, *la Tentation
de l'Occident*, qui affirment la mort des Dieux et
la décomposition universelle des valeurs, et les
écrits suivants : *Les Conquérants*, *la Voie royale*,
la Condition humaine, il y a non seulement une
différence de contenu mais aussi une différence
de forme. Bien qu'il s'agisse, en effet, dans les deux
cas, d'œuvres de fiction, seuls les seconds créent
un univers à intention constitué d'êtres, imaginaires sans doute mais individuels et vivants, et
ont par cela même un caractère romanesque, alors
que les premiers sont, soit comme *la Tentation de
l'Occident*, des essais, soit comme *Royaume Farfelu* et *Lunes en Papier*, des histoires fantastiques

et allégoriques (et cela malgré l'affirmation que Malraux a placée en tête de *Lunes en Papier* selon laquelle « il n'y a aucun symbole dans ce livre »).

Si nous constatons en outre que tous les romans ultérieurs de Malraux créeront des univers régis par des valeurs positives et universelles, et que le premier écrit, qui indique une nouvelle crise : *la Lutte avec l'Ange*, sera à la fois le dernier et le moins romanesque, le plus intellectuel des écrits de fiction de Malraux, il nous semble qu'on pourrait formuler une première hypothèse : *Dans cette œuvre dominée par la crise des valeurs qui caractérisait l'Europe occidentale à l'époque où elle a été élaborée, la création proprement romanesque correspond à la période dans laquelle l'écrivain a cru pouvoir, envers et contre tout, sauvegarder l'existence de certaines valeurs universelles authentiques.*

En somme les titres mêmes des ouvrages : d'une part *Lunes en Papier*, *Royaume Farfelu* et, d'autre part, *les Conquérants*, *la Voie royale*, *la Condition humaine*, *le Temps du Mépris*, *l'Espoir*, montrent la différence de contenu qui a entraîné les transformations formelles et a rendu possible la période proprement romanesque dans l'œuvre de l'écrivain.

La période *proprement romanesque*, si l'on prend ces mots dans un sens strict, se limite cependant

à trois ouvrages : *les Conquérants, la Voie royale* et
la Condition humaine qui sont dans l'œuvre de
Malraux les seuls romans proprement dits, *le
Temps du Mépris* et *l'Espoir* étant des récits orientés vers une forme lyrico-épique, *les Noyers de
l'Altenburg* une série *structurée* de récits destinés
à poser en premier lieu un problème *conceptuel*.
Aussi faut-il préciser que nous nous servirons dans
cette étude du terme « période romanesque » dans
un sens moins rigoureux et plus large de manière
à embrasser les six ouvrages à intention réaliste
qui, dans l'œuvre de Malraux, décrivent un univers de personnages individuels et vivants.

Un principe concret de toute recherche sociologique et génétique prescrivant cependant d'analyser, dans la mesure du possible, le contenu et la
structure des écrits de tout écrivain dans leur ordre
chronologique, nous devons, avant de commencer l'étude des écrits romanesques, nous arrêter,
ne serait-ce que brièvement, aux trois écrits antérieurs, que nous aborderons, faute de renseignements précis sur la date de leur rédaction, dans
l'ordre qui nous paraît le plus favorable à l'analyse [1].

---

1. Et qui est d'ailleurs celui qu'a adopté Malraux lui-même dans
l'édition de ses œuvres chez Skira.

Royaume Farfelu (sous-titre : « Histoire ») se
compose de deux parties dont, selon une note des
éditions Skira, l'une fut écrite en 1920, l'ensemble
ayant été publié pour la première fois en 1927.

Le contenu essentiel de cet écrit nous paraît
être à la fois la conscience de la vanité et de la mort
universelle des valeurs, et l'aspiration romantique
à une valeur inconnue et inconnaissable. Dans la
première partie, l'incarnation de celle-ci est la
princesse de la Chine, à laquelle rêve le prince du
pays — princesse qu'il n'a jamais vue et qui ressemble comme deux gouttes d'eau à la fleur bleue
des romantiques allemands.

Pourtant, et bien que cette aspiration à une
valeur inconnue et hors d'atteinte soit l'arrière-
plan global de l'ouvrage, il n'en est question explicitement que deux fois au cours des vingt pages
que comporte l'écrit dans l'édition Skira ; il est
vrai que ces deux passages se situent à deux en-
droits particulièrement significatifs : l'un à la fin
de la première partie [1], l'autre, à la fin de l'ouvrage.

---

1. « *Comment t'oublierais-je, princesse de la Chine ?...*
— *Parle-moi, dit-il en se tournant vers moi, de la Princesse de la
Chine.* »
Je ne l'avais jamais vue ?
« *Ah ! lassitude, soupira le Prince, lassitude... Moi non plus, pauvre
être... », et, après un instant de silence :*
« *Qu'on le mène à l'armée.* »

Les dix-neuf autres pages du texte développent, en revanche, le thème de la mort universelle des valeurs.

Celle-ci définit le temps même de la première partie : les êtres *ont été* jadis vivants et significatifs mais ils ne le sont plus. Les premières lignes l'indiquent déjà. Diables et lieux saints, papes et antipapes, empereurs et conquérants ont été mais ne sont plus et le souvenir de leur grandeur passée colore seul la vanité d'un présent durable et éternel :

> *Prenez garde, diables frisés : de pâles images se forment sur la mer en silence ; cette heure n'est plus la vôtre. Voyez, voyez : en face des tombeaux des lieux saints, les veilleurs remontent lentement les horloges qui mesurent l'éternité aux sultans morts — les papes et les antipapes dorés se poursuivent dans les égouts déserts de Rome ; derrière eux rient sans bruit des démons à la queue soyeuse qui sont les anciens empereurs — ... — un roi qui n'aime plus que la musique et les supplices erre la nuit, désolé, soufflant dans de hautes trompes d'argent et entraînant son peuple qui danse ... et voici qu'à la frontière des deux Indes, sous des arbres aux feuilles serrées comme des bêtes, un conquérant abandonné s'endort dans son armure noire, entouré de singes inquiets...* [Ici, comme le plus souvent dans cette étude, c'est nous qui soulignons.]

Et même ce qui existe encore se définit par la conscience de sa destruction future et par la fuite de la vie. Dans la ville où arrivent les voyageurs, un marchand qui vendait des phœnix en brûla un sous leurs yeux.

*L'animal renaquit aussitôt de ses cendres, mais profita
de la joie imprudente du marchand pour s'enfuir, d'un*
vol d'ailleurs lourd et sans grâce. *Consternation. Tous
les visages se levèrent, chacun suivit l'oiseau du regard;
dans le silence, on n'entendit plus que des voix qui criaient
dans le lointain :* « Ville née de la mer, quelque jour
les poissons des ténèbres envahiront tes palais aux
formes animales... »

Les dragons immortels et si beaux que leur
contemplation « *vainc les plus grandes peines, les
plus poignants chagrins* » peuvent aussi « *être employés comme baromètres* » ; des prêtres brassent
dans des grands chaudrons d'innombrables petits
dieux de cuivre jaune. Enfermé, dans un cachot le
narrateur se trouve *pénétré d'une grande tristesse,* ...
las..., sans joie... Il voit des « *hôtels abandonnés* »,
etc. Il est amené devant le Prince du pays qui
écoute les rapports des messagers ; ceux-ci lui
annoncent une mort universelle qu'il ne veut d'ailleurs pas admettre puisqu'il rêve de la princesse
de la Chine.

Prince, je suis allé à Babylone la déserte... *la ville
n'est que poussière...*
— *C'est bien, j'irai plus loin, beaucoup plus loin.
Connais-tu l'enfer, l'enfer avec son ciel plein d'étoiles
violettes... et, dans les profondeurs, ses chants graves ?...*
— *Il n'y a pas de chants, prince...*

Un autre messager a conduit la fille du prince au
Tzar mangeur de poissons ; dans son récit, nous

rencontrons une des images les plus importantes
du texte, image que nous retrouverons plusieurs
fois dans les premiers écrits de Malraux, et qui nous
paraît avoir une valeur significative particulière ;
celles des dieux qui régnaient jadis cachés dans les
temples, les caves ou les souterrains et qui, sortis
lors d'un incendie ou d'une invasion, sont devenus
de simples jouets mécaniques, sont partis, ou en
tout cas, ont perdu toute puissance.

> *... Des invasions silencieuses se préparaient... La
> princesse, entourée de chatons blancs, se faisait apporter
> tous les dieux des peuples vaincus, dans une cave pleine
> de mille-pattes, et les enchaînait un à un... Un jour,
> le temple a flambé : les idoles noircies sortaient des flammes,
> les gardes du tsar combattaient avec les haches bleues
> contre les tourbillons de cavaliers rebelles qui brandissaient
> des crânes huilés de grands animaux...*
> — *Et maintenant ?*
> — *Maintenant, la tsarine règne seule. Au dégel,
> les dernières idoles ont descendu le fleuve comme des
> barques lourdes (il en est un grand cimetière à l'embou-
> chure...). Du palais, la tsarine montrait leur flotte morte
> aux dieux prisonniers des tributaires, aux dieux enchaî-
> nés, moisis, qu'elle avait fait lier aux barreaux de la
> fenêtre, tandis que chantaient les prêtres chrétiens.*

La seconde partie de l'ouvrage raconte l'expédition et la défaite d'une armée qui n'a pas livré
bataille, n'ayant trouvé devant elle aucune résistance mais seulement une ville abandonnée, trans-
formée en labyrinthe et dominée par les oiseaux,

les lézards et, finalement, les scorpions ; l'histoire
d'une armée qui s'est enlisée — au point de devenir
victime des scorpions (car elle ne dispose plus
d'aucune énergie pour se défendre) — dans la
masse molle d'une réalité sans structure parce que
dépourvue de valeurs.

C'est la reprise de la première partie sur un mode
narratif. Notons seulement comme particulièrement
significative la réapparition de l'image des dieux
sortis des souterrains et qui à la lumière du jour
ont perdu tout pouvoir [1]. Notons aussi l'épilogue

1. *Des hommes sortirent, chargés d'objets magnifiques sur lesquels
on distinguait de la soie et des perles : mannequins, grandes poupées
richement habillées, jouets anciens... Ces soldats appartenaient aux
troupes afghanes et sartes, à la partie la plus sauvage de l'armée ; ils
avançaient lourdement, hallucinés, avec un grondement d'abord confus
qui s'éleva et devint clameur · « Les dieux ! Les dieux ! LES DIEUX ! » —
Tu sais que depuis plusieurs siècles les Maîtres des Ports prélevaient
sur les merveilles que leur envoient sans cesse les nations inférieures,
une dîme d'objets rares destinés au Trône. Une épaisse poussière était
étendue dans certaines chambres des souterrains, cendre des plus belles
fleurs et des fruits les plus singuliers du siècle dernier. Au-dessus, des
jouets sans nombre, enchevêtrés, s'enfonçaient en perspectives dans les
profondeurs ; les princes de cette dynastie en ont eu le goût héréditaire.
Au Roi des rois, les maîtres de la terre respectueusement inclinés avaient
pendant trois siècles présenté cette offrande puérile et compliquée...
Pour sortir de la mêlée, chaque soldat élevait le trophée qu'il apportait ;
et, au-dessus des silhouettes les unes aux autres collées, les automates,
les animaux mécaniques et les poupées avançaient lentement, noirs,
et ne retenant de la lumière de l'incendie qui montait que les lueurs
rouges accrochées à leurs bijoux faux.*

*Cette nuit-là fut sans nul doute une des grandes nuits du monde,
une de celles où les dieux abrutis cèdent la terre aux génies sauvages
de la poésie. Toute la nuit, entends-tu, toute la nuit, en longue farandole,*

où le narrateur, survivant du massacre, est un
jeune vieillard, qui mène une vie dépourvue d'intérêt, et vit dans le souvenir de l'ancienne défaite.
Cet épilogue termine le récit par une image romantique homologue à celle de la princesse de la Chine
qui terminait déjà la première partie :

> *Peut-être prendrai-je passage sur l'un des bateaux
> qui font voile pour les îles Fortunées. J'ai soixante ans
> à peine...*

Bien entendu, cet écrit d'un jeune homme de
vingt ou de vingt-sept ans qui se sent déjà vieux,
et pour lequel les valeurs ne sont qu'un souvenir,
n'a pas une très grande valeur littéraire.

Un critique qui n'aurait entre les mains que
ce seul texte y verrait sans doute le désenchantement superficiel et peut-être purement verbal
d'un adolescent à la fois très doué et trop préoccupé de sa propre personne.

La suite de l'œuvre nous montre cependant
qu'il s'agissait de quelque chose de bien différent :

> *les soldats hirsutes tournèrent en hurlant autour du palais incandescent
> et des feux du camp, tenant doucement, comme des enfants, ces jouets
> délicats, caressant au passage les automates qui se perdaient sans direc-
> tion dans les jardins saccagés, et dont les vielles et les flûtes s'enten-
> daient seules dans la chaleur, lorsque tombaient les cris... Loin des feux,
> dans les ténèbres plus profondes, les bourreaux et les archers chinois
> emportaient clandestinement les vraies perles des princes déchus, entre
> leurs mains en coupe, pour les vendre aux royaumes du Sud où les rois
> sont peints...*

une sensibilité aiguë à la crise intellectuelle et morale du monde occidental telle que la ressentait un des esprits les plus inquiets et les plus puissants de l'époque. Aussi est-ce surtout comme étude du fondement sur lequel est née son œuvre future que nous avons consacré quelques pages à l'analyse de cet écrit et que nous nous arrêterons aussi très brièvement au contenu des deux suivants.

C'est en effet une vision apparentée que nous retrouvons dans *Lunes en Papier*, paru pour la première fois en 1920.

L'ouvrage se rattache explicitement au *Royaume Farfelu* puisqu'on nous dit que celui-ci est l'empire de la mort[1].

Il se compose lui aussi de deux parties : un prologue de cinq pages, dans l'édition Skira, et un récit de vingt-deux pages, qui reprend d'ailleurs, comme dans *Royaume Farfelu*, un thème analogue à la première partie.

L'influence de la littérature d'avant-garde y est sensible, non seulement dans la forme, mais

1. « *Maintenant, dit la Luxure, à l'empire de la Mort !* »
L'orgueil protesta.
« *Monsieur, je vous serais fort obligé de ne pas nous rendre ridicules. Chacun sait que « l'Empire de la Mort » s'appelle le Royaume Farfelu.* »

aussi dans le contenu ; l'écrit raconte en effet la
lutte des écrivains non conformistes contre le
Royaume Farfelu, l'Empire de la Mort, la société
bourgeoise de l'époque [1]. A cette lutte, cependant,
Malraux ne croit pas, et c'est sa vanité qu'il
raconte par deux fois sur un mode symbolique
et même allégorique.

Dans le prologue, l'univers est constitué par
un lac régi par un génie en forme de chat et
éclairé par la lune. Les dents de celle-ci se décro-
chent pour voltiger au-dessus de l'eau où elles
rencontrent les ballons qui vont entrer en conflit
avec le château dessiné par le reflet de la lune
et avec le génie du lac lui-même. Le contexte
nous indique que ces ballons sont des écrivains,
alors que les enfants de la lune, le château et le
génie du lac sont des symboles de la société tout
entière.

Les enfants de lune croient tout d'abord que
les écrivains sont des personnages non conformistes, mystérieux peut-être, mais sérieux et
importants. Cette illusion dissipée, le conflit
éclate. Ayant rencontré les ballons,

> *Les enfants de lune, bien jeunes, croyaient qu'ils*
> *travaillaient à des ouvrages invisibles et compliqués.*

1. Vu la date (1920), il s'agit probablement de Dada et des premiers
surréalistes encore groupés autour de Tzara.

> *Avec la connaissance de la vérité, l'indignation les gagna :*
> *leurs nez, transformés en queue de billard, projetèrent*
> *les aérostats sur le lac. Légers bien que dodus, ils rebon-*
> *dirent ; et leur élégance harmonieuse stimula la jalousie*
> *des lunes qui souhaitèrent leur mort.*
>
> *Ce souhait ne fut pas exaucé. Puisqu'ils ne pouvaient*
> *plus paresser, les ballons se trouvaient, hélas ! obligés*
> *d'agir !...*

Ayant vu sur le lac le château dessiné par le reflet de la lune, ils décident de l'envahir.

> *A cette fin, l'un d'entre eux s'avança et commença la*
> *lecture d'une pièce à thèse qu'il avait écrite lorsqu'il*
> *était encore au collège. Le palais méprisant ne répondit*
> *point. Dédain fatal ! L'aérostat continua de lire. Au*
> *mot « Rideau », le palais était parfaitement assoupi.*
> *Tous les ballons bondirent, et il en apparut un, cocarde,*
> *dans le cadre de chaque fenêtre. Ils entrèrent sans diffi-*
> *culté.*

Dans le château conquis ils trouvent

> *guignols, gendarmes, gardes champêtres, mariées, diables,*
> *campagnards à parapluies rouges, pipelets, Mères*
> *Michel, des pantins de toutes sortes.*

Ils les lient et les attachent aux fenêtres pour projeter sur eux leurs propres enfants et des radis noirs pleins de son qui sont des philosophes. Les fantoches tombent avec un déclic.

Cependant, devant cette déroute, le génie du lac passe à l'offensive. Il apporte un baril qui remplit les ballons de frayeur ; ceux-ci craignent un explosif ; le plus courageux d'entre eux ose

cependant s'approcher ; le baril a un contenu
bien plus dangereux : de la très vieille fine champagne. Les ballons s'enivrent, et le génie du lac
pourra les attacher. Victorieux il s'écrie :

> — *Voyez les beaux ballons prisonniers, je ne les*
> *vends pas, je les offre, quoi, nul ne désire l'un d'entre*
> *eux ?... Les ballons cruels n'étant désirés par personne,*
> *nous, Génie de ce lac... les condamnons à mort... Ils*
> *seront pendus.*

Il essaie d'attacher les ballons à un tube de
gonflement pour les pendre et leur faire tirer la
langue, ils résistent cependant.

> *Leurs langues persistent dans l'intention de jouer à*
> *cache-cache ! Elles s'obstinent !*
> — *Elles s'obstinent. Ma vie est irrémédiablement*
> *manquée. O passion, tu vas perdre ton petit chat de luxe !...*

Et le génie du lac

> *se pendit au bout du chapelet, les pattes en croix, ainsi*
> *qu'il convenait.*
> *Alors, son poids ayant augmenté, le chapelet se tendit ;*
> *chacun de ses grains tira la langue ; et de la breloque, qui*
> *était un chat aux pattes en croix, surgit une langue victo-*
> *rieuse qui sembla prétendre à frapper les autres mais*
> *retomba, flasque, comme si un coup d'épingle l'avait*
> *crevée.*

Ce résumé se passe de commentaires, il s'agit
de toute évidence d'une satire des écrivains et
des penseurs non conformistes partis en guerre
contre la société de pantins qui occupe le château,

corrompus par un baril de champagne, et sombrant à la fin dans la mort universelle qui envahit l'univers.

La seconde partie, divisée en trois chapitres : *Combats, Voyages, Victoire,* raconte la lutte de ces mêmes intellectuels non conformistes (qui ont ici la forme des sept péchés capitaux marchant sur les mains [1]; cinq d'entre eux sont nés directement d'un fruit lui-même issu de la transformation d'un des ballons et les deux autres proviennent du remplacement de deux personnages décédés par un scientifique et un musicien) contre la mort et son « Royaume Farfelu ».

Il est bien entendu inutile d'insister sur les différents épisodes pour la plupart symboliques qui jalonnent ce voyage et ce combat ; rappelons seulement le fait que, pour combattre les sept péchés capitaux, la mort envoie deux armes extrêmement dangereuses, les serpents bigophones qui se mettent à chanter « viens, poupoule » et les tubes de geissler que les péchés capitaux combattront à l'aide d'un phonographe et d'une pastille d'électricité. C'est dire que les deux armes les plus puissantes de l'Empire de la Mort contre

---

1. *Les péchés n'aimaient point les actions susceptibles d'être accomplies par quiconque; aussi se refusaient-ils à l'usage de leurs pieds et trouvaient-ils bon d'avancer en marchant sur les mains.*

les écrivains et les penseurs sont la pseudo-culture des « mass media » et la technique industrielle, mais aussi que pour les combattre les écrivains emploient des armes qui leur sont essentiellement apparentées, ce qui rend leur lutte discutable et ambiguë. La fin de l'écrit éclaire la position de Malraux. La mort en effet s'est modernisée, ou plus exactement industrialisée. Elle a des vertèbres en aluminium et des articulations en laiton. Déguisé en médecin, l'orgueil lui prescrit un bain d'acide azotique dans lequel elle sera corrodée et détruite. Seulement lorsque la victoire des péchés paraît enfin assurée, Malraux termine son texte de la manière suivante :

> *La Mort était morte. Assis sur les créneaux de la plus haute tour du château, les péchés regardaient le soir caresser la ville calme. Aucun changement ne se manifestait encore.*
>
> *— Et maintenant, à l'œuvre ! dit l'Orgueil.*
>
> *— A l'œuvre ! répétèrent les péchés.*
>
> *— Par quoi commençons-nous ? ajouta Hifili.*
>
> *Il y eut un long silence, auquel le musicien mit fin en disant après avoir hésité :*
>
> *— Excusez-moi, chers amis... Lorsque j'étais homme, j'étais sujet à l'anémie mentale... Ne vous étonnez donc pas de ma question : Pourquoi avons-nous tué la Mort ?*
>
> *Les péchés avaient pendu à leurs ceintures, comme des pense-bêtes, les morceaux de son squelette. Ils les touchèrent et répétèrent...*
>
> *— Oui, pourquoi avons-nous tué la Mort ?*

Puis ils se regardèrent. Leurs visages étaient mornes.
Alors, ils laissèrent tomber leur tête dans leurs mains
et pleurèrent. Pourquoi avaient-ils tué la Mort ? Ils
l'avaient tous oublié.

La fin est ainsi à la fois différente de la première partie et semblable à elle. La première fois
le monde avait vaincu les écrivains, la deuxième
fois, ce sont ces derniers qui sont victorieux,
mais dans l'un comme dans l'autre cas, la victoire
est dépourvue de signification, car vainqueurs
et vaincus sombrent dans la même mort universelle.

Les mêmes idées seront reprises sur un plan
conceptuel dans cet ouvrage constitué par un
échange de lettres entre un intellectuel oriental
voyageant en Europe et un intellectuel occidental
vivant en Chine qu'est *la Tentation de l'Occident*.
Le titre suggère la tentation que représente
pour l'Occident le reste du monde et, en premier
lieu, l'Orient, depuis que ses valeurs ont perdu
leur vitalité et qu'il se trouve atteint d'une maladie
mortelle. Mais même si, d'une manière explicite,
le titre et la plus grande partie de l'ouvrage concernent la crise de la culture occidentale, les dernières
lettres indiquent que la culture chinoise n'en
subit pas moins une crise complémentaire, avec des

conséquences analogues. De même que l'Occident se replie sur les coutumes qu'il comprend sans les aimer, de même les jeunes Chinois se sentent attirés par la culture occidentale qu'ils haïssent. Dans l'un et dans l'autre cas, cette attitude est due au déclin, dans chacune de ces civilisations, des valeurs spécifiques (l'individualisme en Occident, le panthéisme de la sensibilité en Orient) et des barrières que la vitalité de ces valeurs opposait jadis aux appels et à la séduction des cultures étrangères.

Pour ne pas étendre outre mesure les dimensions de cette étude, nous nous contenterons de mentionner deux passages qui nous paraissent particulièrement significatifs.

En premier lieu, pour désigner la crise de la culture chinoise, la réapparition de l'image du grand incendie qui a détruit toutes les valeurs :

> *... La date de notre fête nationale, je voudrais qu'elle ne fût plus anniversaire de notre révolution d'enfants malades, mais de ce soir où les intelligents soldats des armées alliées s'enfuirent du Palais d'été, emportant avec soin les précieux jouets mécaniques dont dix siècles avaient fait offrande à l'Empereur, écrasant les perles et essuyant leurs bottes aux manteaux de cour des rois tributaires...*

Le mot dieux manque dans ce texte — qui est par ailleurs tout à fait analogue aux deux

passages déjà cités du *Royaume Farfelu* et à
celui que nous rencontrons plus loin dans *les
Conquérants* — pour la simple raison que Malraux,
par la bouche du vieux penseur chinois Wang-
Loh, venait de définir l'ancienne culture chinoise
comme une culture sans dieux en disant de la
crise actuelle :

> ... *C'est la destruction, l'écrasement du plus grand
> des systèmes humains, d'un système qui parvint à vivre
> sans s'appuyer sur les dieux ni sur les hommes. L'écra-
> sement !...*

En second lieu, la description de la crise de la
culture occidentale. Après la disparition des
valeurs transcendantes du moyen âge, elle résulte
— et ici la pénétration de Malraux est remarquable — de la crise des valeurs individualistes
qui, dans la culture classique, avaient remplacé la
divinité, et de l'impossibilité de créer des structures
ou des formes nouvelles qui ne sauraient plus s'appuyer ni sur le transindividuel ni sur l'individu :

> ... *La réalité absolue a été pour vous Dieu, puis
> l'homme ; mais* l'homme est mort, après Dieu, et vous
> cherchez avec angoisse celui à qui vous pourriez confier
> son étrange héritage. *Vos petits essais de structure
> pour des nihilismes modérés ne me semblent plus destinés
> à une longue existence...*

Mais, chose qui revêt un intérêt particulier à
la lumière des derniers écrits sur l'art de Malraux,

et qui nous intéresse ici pour illustrer à quel point
les mêmes faits peuvent avoir des significations et
des valeurs opposées lorsqu'ils sont intégrés dans
des structures mentales différentes, Malraux désigne
comme symptôme de la crise et de la décadence
de la culture occidentale l'apparition du Musée
Imaginaire qui lui semblera, quelques dizaines
d'années plus tard, le fondement le plus solide de
cette culture et même de la condition humaine :

... Les Européens sont las d'eux-mêmes, las de leur
individualisme *qui s'écroule, las de leur exaltation.
Ce qui les soutient est moins une pensée qu'une fine
structure de négations. Capables d'agir jusqu'au sacrifice,* mais pleins de dégoût devant la volonté d'action
qui tord aujourd'hui *leur race, ils voudraient chercher
sous les actes des hommes* une raison d'être plus profonde. Leurs défenses, une à une, disparaissent. *Ils
ne veulent pas s'opposer à ce qui est proposé à leur sensibilité, ils ne peuvent plus ne pas comprendre. La tendance
qui les pousse à se déserter eux-mêmes, c'est lorsqu'ils
considèrent les œuvres d'art qu'elle les domine le mieux.
L'art est alors un prétexte, et le plus délicat: la plus
subtile tentation, c'est celle dont nous savons qu'elle est
réservée aux meilleurs.* Il n'est pas de monde imaginaire
à la conquête duquel ne s'efforcent aujourd'hui, en
Europe, les artistes inquiets. Palais abandonné qu'attaque le vent d'hiver, notre esprit se désagrège peu à
peu, et ses lézardes d'un bel effet décoratif ne cessent de
s'étendre. [...] *Ces œuvres, et le plaisir qu'elles apportent,
peuvent être « apprises » comme une langue étrangère;
mais cachée par leur succession,* on devine une force
angoissante qui domine l'esprit. *Toujours renouveler*

certains aspects du monde en les regardant avec des yeux nouveaux, il y a, dans cette recherche, une ingéniosité ardente qui agit sur l'homme à la façon d'un stupéfiant. Les rêves qui nous ont possédés appellent d'autres rêves, de quelque façon que s'exerce leur sortilège : plante, tableau ou livre. Le plaisir spécial que l'on trouve à découvrir des arts inconnus cesse avec leur découverte et ne se transforme pas en amour. *Que viennent d'autres formes qui nous toucheront, et que nous n'aimerons pas,* rois malades à qui chaque jour apporte les plus beaux présents du royaume, à qui chaque soir ramène une avidité fidèle et désespérée... [...] ... C'est le monde qui envahit l'Europe, le monde avec tout son présent et tout son passé, *ses offrandes amoncelées de formes vivantes ou mortes et de méditations... Ce grand spectacle troublé qui commence, mon cher Ami, c'est* une des tentations de l'Occident.

La crise profonde de la civilisation occidentale, la crise des valeurs individualistes et des espoirs qui les étayaient, se manifeste entre autres choses dans une crise de l'action et aussi, nous l'avons vu, dans une crise de l'amour, crise générale des valeurs dans laquelle ne survit qu'une seule attitude : la connaissance :

Le réel qui décline s'allie aux mythes, et préfère ceux qui sont nés de l'esprit. Qu'appelle la vision de forces insaisissables, redressant lentement la vieille effigie de la fatalité, dans notre civilisation dont la loi magnifique, et peut-être mortelle, est que toute tentation s'y résolve en connaissance?... *Il est au cœur du monde occidental* un conflit sans espoir, *sous quelque forme que nous le découvrions :* celui de l'homme et de ce qu'il a créé.

Aussi, le livre se termine-t-il par le refus du somnifère que représente le christianisme :

> *... une foi plus haute: celle que proposent toutes les croix des villages et ces mêmes croix qui dominent nos morts.*

> *... Je ne l'accepterai jamais; je ne m'abaisserai pas à lui demander l'apaisement auquel ma faiblesse m'appelle...*

et par une prise de conscience claire et désespérée qui, à cette époque, est le dernier mot de Malraux :

> *Lucidité avide, je brûle encore devant toi, flamme solitaire et droite, dans cette lourde nuit où le vent jaune crie, comme dans toutes ces nuits étrangères où le vent du large répétait autour de moi l'orgueilleuse clameur de la mer stérile...*

Entre *Royaume Farfelu*, *Lunes en Papier*, la *Tentation de l'Occident* d'une part et *les Conquérants* d'autre part, il y a un saut qualitatif : la transformation d'un jeune homme qui écrit de manière remarquable mais dont la vision n'est ni originale ni profonde, en un des plus grands écrivains de la première moitié du xxe siècle en Europe Occidentale. Sans doute cette transformation comporte-t-elle un progrès dans la technicité de l'écriture et dans la maîtrise du style ; mais si elle n'était due qu'à ce progrès elle devrait présenter un aspect graduel et progressif et ne saurait en aucune façon rendre compte d'une transformation qui se présente au contraire sous un aspect *brusque et qualitatif.*

Deux autres arguments plaident dans le même sens : d'une part une vieille expérience des sociologues de la culture, presque toujours confirmée par les recherches concrètes, qui enseigne que les changements qualitatifs à l'intérieur d'une œuvre, d'un style, d'un genre littéraire ou artistique, sont toujours nés, même lorsqu'ils entraînent des changements techniques importants, d'un contenu nouveau qui finit par créer ses propres moyens d'expression ; et d'autre part l'évolution ultérieure de Malraux lui-même qui à partir de 1939, époque à laquelle il était certainement au plus haut point maître de son écriture et de son style, a pourtant cessé d'écrire des ouvrages littéraires pour revenir, à un niveau beaucoup plus élevé sans doute, aux essais et aux ouvrages conceptuels.

Serait-il trop osé de rappeler ici notre hypothèse initiale selon laquelle l'œuvre *proprement littéraire* de l'écrivain, sa possibilité de créer des univers imaginaires concrets à visée réaliste était étroitement liée à une foi en des valeurs humaines universellement accessibles à tous les hommes, les écrits conceptuels correspondant au contraire è l'*absence* d'une telle foi, que cette absence ait 1 forme de la désillusion initiale ou celle de la théorie des élites créatrices annoncée dans *les Noyers de l'Altenburg* et développée à partir du *Musée imaginaire.*

Le romancier Malraux, entre *les Conquérants* et *la Condition humaine,* est un homme qui *croit* à des *valeurs universelles* bien que *problématiques.* L'écrivain Malraux du *Temps du Mépris* et de *l'Espoir* est un homme qui croit à des valeurs humaines universelles et *transparentes,* bien que hautement *menacées.* L'auteur des *Noyers de l'Altenburg,* ouvrage qui se situe entre la création littéraire et la réflexion conceptuelle, est un homme qui raconte sa désillusion et cherche encore un fondement à sa foi en l'homme.

Par la suite, il y aura l'essayiste et l'historien de l'art qui ne concernent plus notre étude, car c'est de l'écrivain Malraux et de sa vision, ou plus exactement de ses visions et de leurs expressions littéraires, que nous voulons nous occuper ici.

Nous ne savons pas dans quel ordre *les Conquérants* et *la Voie royale* ont été écrits. Bien qu'importante, la question n'est cependant pas décisive, car les deux livres ont une structure analogue et se complètent. Ils classent d'ailleurs, d'emblée, Malraux parmi les grands écrivains du xxe siècle, pour cette raison qu'ils apportent une solution neuve et originale au problème le plus important qui, sous des formes différentes et complémentaires, se posait aussi bien à la philosophie qu'à la littérature occidentale de l'époque : celui de donner une signification à la vie à l'intérieur de la crise générale des valeurs.

Essayons au niveau très relatif d'une recherche qui en est encore à ses débuts d'esquisser la situation à la fois en littérature et en philosophie.

Dans nos études sur la sociologie du roman nous avons caractérisé cette période comme une période de *transition* entre deux formes romanesques qui se trouvaient en liaison intelligible avec l'ensemble de la structure sociale et économique, la première, celle du roman à héros problématique, correspondant à l'économie libérale et liée à la valeur, universellement reconnue et fondée dans la réalité, de toute vie individuelle en tant que telle, et l'autre, le roman à caractère non biographique correspondant aux sociétés dans lesquelles le marché libéral et avec lui l'individualisme sont déjà dépassés.

Or, si le roman à héros problématique et le roman non biographique constituent des structures relativement unitaires et stables, entre l'un et l'autre se situe une *période de transition* beaucoup plus

variée et plus riche en types de création romanesque,
née du fait que, d'une part, la disparition du fondement économique et social de l'individualisme ne
permet plus aux écrivains de se contenter du
personnage problématique *comme tel* sans le relier
à une réalité qui lui est extérieure et que, d'autre
part, l'évolution économique, sociale et culturelle
n'est pas encore assez avancée pour créer les conditions d'une cristallisation définitive du roman
sans héros et sans personnage.

Il ne faut pas imaginer, bien entendu, que ces
trois périodes sont clairement délimitées dans le
temps. La vie sociale est une réalité complexe et
ses différents aspects se superposent ; quelques
écrivains élaborent déjà des romans sans personnage, d'autres en sont encore au roman à héros
problématique, alors qu'un certain nombre d'entre
eux se situent sur le plan de ce que nous avons
appelé la période de transition, la distinction de
trois périodes successives étant en tout premier
lieu une schématisation destinée à orienter la
recherche [1].

Quoi qu'il en soit, les premiers romans de Mal-

---

1. Schématisation qui a cependant son fondement dans la réalité.
On verrait mal, en Europe occidentale en effet, un écrivain créant une
œuvre qui aurait à la fois l'envergure et la structure des romans de
Malraux, après la Seconde Guerre mondiale (bien que même cela ne
soit pas inconcevable).

raux se situent dans la ligne globale du roman de
transition, dont la problématique est celle du sujet
et du sens de l'action et, autant que possible, de
l'action *individuelle* dans un monde où l'individu
ne représente plus une valeur par le simple fait
d'être individu. Et l'importance des *Conquérants*
et de *la Voie royale* réside en ce qu'ayant intégré
à un niveau très avancé la conscience du problème
de la crise des valeurs exprimé déjà de manière
radicale dans ses trois premiers écrits, Malraux
présente néanmoins une solution sur le plan de la
biographie *individuelle* alors qu'un certain nombre
d'autres écrivains (et lui-même à partir de *la
Condition humaine*), s'orientent vers le remplacement du héros individuel par un personnage *collectif*.

En somme *les Conquérants* et *la Voie royale* se
situent parmi les dernières grandes tentatives de
roman *à héros problématique*, et cela avec la pleine
conscience du fait que la vie des héros de ce type ne
saurait plus se suffire et que, pour la rendre significative, il faut la dépasser vers un certain contexte
social et historique. Disons d'emblée, et avant
même d'aborder la description structurelle des
deux ouvrages, que, dans cette perspective, leurs
héros doivent être nécessairement *des hommes
d'action.*

Don Quichotte, Julien Sorel, Emma Bovary
étaient en effet intéressants par leur propre psychologie ; Garine et Perken ne sauraient être séparés de leur action. Celle-ci n'est pas un détail acci-
dentel ou l'expression d'une préférence psychologique de Malraux, mais une nécessité structurelle
de leur personnage.

Sans leur effort pour réaliser certaines fins *dans
le monde extérieur*, sans le *sérieux* de cet effort (et
l'expression de ce sérieux est le fait qu'il va tout
naturellement jusqu'à l'assomption de la possibilité
du suicide et du *risque de la mort*), leurs personnages seraient entièrement dépourvus d'intérêt.
On a reproché souvent aux héros de Malraux, et
notamment à Garine et à Perken, d'être des aventuriers. Malraux lui-même a essayé de les distinguer de ceux-ci en opposant par exemple Perken
au roi Mayrena, ou bien Claude à son père.

Le terminologie ne nous intéresse pas bien entendu et il nous est tout à fait indifférent de savoir ce
qu'on appelle un « aventurier », mais la distinction
que fait Malraux nous paraît avoir une grande
importance pour la compréhension de ses œuvres.
Mayrena et le grand-père de Claude s'intéressent
directement à eux-mêmes, au style de leur action
et de leur vie. Garine, Perken, et même Claude,
s'intéressent exclusivement aux fins qu'ils pour-

suivent, leur *action* est *sérieuse* parce qu'elle est orientée en premier lieu vers la victoire et le style de leur vie résulte précisément du fait qu'ils ne pensaient pas à ce style au moment de l'action.

Avant d'avancer dans l'analyse il faut nous arrêter quelque peu au contexte intellectuel dans lequel est née la réponse de Malraux, à la manière dont se posait au cours de cette période critique de la conscience occidentale le problème des valeurs sur le plan de la pensée conceptuelle en général et philosophique en particulier.

La crise de l'individualisme, par un autre biais, avait en effet amené au centre de la problématique philosophique ces mêmes problèmes de l'action et de la mort [1].

Dans la pensée chrétienne du moyen âge, la mort était pour l'individu un problème particulièrement important, car elle marquait le bilan de sa vie, l'instant dans lequel allait se décider, *une fois pour toutes*, le caractère de son existence éternelle, le fait qu'il serait éternellement réprouvé ou sauvé. Elle n'était pas néanmoins le problème essentiel puisqu'elle était subordonnée à celui du salut.

1. Il se peut d'ailleurs que Malraux ait rencontré ces problèmes entre autres à travers les philosophies existentialiste et marxiste qui étaient en train de pénétrer en France ; l'étude de cette pénétration doit faire l'objet de nos prochaines recherches.

Plus tard cependant, l'individu devenu en tant qu'individu valeur universelle ne rencontrera plus, ou de moins en moins, le problème de l'instant où il n'existera plus; les valeurs individualistes de la raison et de l'expérience restent éternelles dans la mesure où il y aura toujours des individus qui les poursuivront réellement ou auront virtuellement la possibilité de les poursuivre. Tant que l'individu existe il est valeur en tant qu'individu, dès qu'il est mort, il n'existe plus ni en tant que valeur ni en tant que problème ; c'est pourquoi, nous l'avons dit ailleurs, les philosophies individualistes sont dans leurs tendances virtuellement amorales, anesthétiques [1] et areligieuses.

Au xxe siècle la crise des valeurs individualistes qui, comme nous l'avons déjà dit, est née de la suppression du marché libéral et a eu pour conséquence, en littérature, le déclin du roman traditionel à héros problématique, a non seulement réactualisé, au niveau de la pensée conceptuelle, le problème de la mort, mais l'a même placé au centre de la problématique philosophique.

Si le comportement de l'individu ne peut plus en effet se fonder ni sur des valeurs transindivi-

---

1. A moins qu'il ne s'agisse d'une esthétique purement hédoniste qui réduit l'art au plaisir ou à l'agréable individuels en éliminant toute relation avec la transcendance.

duelles (puisque l'individualisme les avait toutes
supprimées) ni sur la valeur incontestable de l'individu (maintenant mise en question), la pensée
devait nécessairement se centrer sur les difficultés
de ce fondement, sur les limites de l'être humain
en tant qu'individu et sur la plus importante
d'entre elles, sa disparition inévitable, la mort.

La position pascalienne se trouvait ainsi réac-
tualisée et ce n'est certainement pas par hasard
si vers 1910 elle se trouve pour la première fois
réexprimée dans un grand écrit philosophique :
· la *Métaphysique de la Tragédie* de Georg Lukács.
Le problème qui se posait de manière de plus en
plus aiguë et consciente aux philosophes de l'époque était en effet celui de l'absence de fondement
des valeurs et des possibilités de la surmonter ;
dans cette perspective, le comportement individuel
se présentait sous deux aspects complémentaires :
rapporté à l'individu comme limité essentiellement par la mort et se heurtant à celle-ci dans
son effort pour trouver une signification (toute
signification individuelle étant nécessairement
réduite à néant par la mort de l'individu qui la
fondait), rapporté à la société et à la communauté
des hommes, comme *absence* de toute forme de
réalité transindividuelle et par cela même comme
difficulté de trouver dans l'action externe une

signification pleine et valable. En bref, dépourvu de deux fondements possibles, *l'individu* et les *réalités transindividuelles*, le comportement humain se trouvait mis en question et cette crise prenait pour la pensée philosophique la forme du double problème de la *mort* et de *l'action*.

Or, c'est à cette problématique que les deux premiers romans de Malraux constituent une réponse cohérente et puissamment originale.

Au moment où paraissent *les Conquérants*, Lukács avait en effet déjà apporté deux réponses opposées à ces questions. En 1908 dans *la Métaphysique de la Tragédie*, il avait affirmé que la réalité absolue de la mort comme limite et l'absence de toute réalité transindividuelle rendaient impossibles *dans le monde* toute vie authentique, toute action valable, l'authenticité ne pouvant plus se situer pour lui que dans la conscience claire de cette limite et dans la grandeur d'un refus voulu et radical.

En 1923, devenu marxiste, il affirmait la réalité d'un sujet transindividuel de l'histoire : le prolétariat révolutionnaire et, à partir de là, la possibilité d'une vie et d'une action significatives, et le caractère, en dernière instance secondaire, de la mort, qui n'était plus qu'un fait individuel incapable d'entacher le véritable sujet de la pensée et de l'action.

Si différentes que soient ces deux positions, le lecteur a certainement remarqué qu'elles ont un élément commun : l'exclusion réciproque de l'action significative et de la mort en tant que réalités humaines fondamentales ; en 1908 la réalité essentielle de la mort supprime pour Lukács toute possibilité d'action significative, en 1923 la possibilité de l'action relègue inversement le problème de la mort au second plan.

Sur ce point, bien que travaillant avec les mêmes éléments, la pensée de Heidegger dans *Sein und Zeit* est essentiellement différente. En dernière instance c'est une synthèse conservatrice des deux positions de Lukács, synthèse aboutissant à l'affirmation d'une possibilité de coexistence entre l'authenticité, la conscience aiguë de la réalité de la mort et un certain mode d'action significative intramondaine.

Comme Lukács en 1908, Heidegger pense en 1927 que la seule possibilité d'une existence authentique est celle de la vie pour et vers la mort *(Sein zum Tode)*. Cependant, comme Lukács en 1923, Heidegger pense que cette existence individuelle authentique peut se réaliser dans l'action historique, non pas grâce à la réalité d'un sujet collectif transindividuel, mais par la répétition (authentique et non mécanique) de l'attitude et du comportement des grandes figures du passé national.

C'est un problème philosophique difficile que celui du fondement dans la philosophie de Heidegger de cette survivance des valeurs à la mort de l'individu. Peut-être implique-t-elle l'idée sous-jacente d'une communauté authentique non pas des hommes comme tels mais d'individus constituant une élite créatrice. Ce serait au fond, si cette interprétation était valable, une pensée assez proche de celle que développera Malraux dans ses écrits sur l'art. Ce problème ne nous intéresse cependant pas en ce moment. Il suffit de dire que pour tout écrivain ou penseur qui cherchait encore une vision individualiste à visée universelle, la position de Lukács en 1908 présentait la difficulté de nier toute possibilité de vie authentique dans le monde, celle de 1923 la difficulté de nier le caractère primordial de l'individu, et celle de Heidegger dans *Sein und Zeit* la difficulté de concilier l'importance essentielle de la mort pour toute conscience individuelle authentique avec la survivance de la valeur des projets et des actions individuelles au-delà de la disparition de l'individu.

En l'état actuel de notre recherche nous ne savons encore rien de la genèse biographique et historique des idées de Malraux ; mais la vision qui se trouve à la base des *Conquérants* et de *la Voie royale* et qui a permis à Malraux de créer une forme particulière de roman à héros problématique, se situe, de toute évidence, dans le contexte intellectuel que nous venons de décrire. Car dans ces romans la mort et l'action significative s'excluent sans doute en tant que présences, mais peuvent néanmoins constituer une structure dans la mesure où elles se succèdent dans le temps.

Tant que l'individu vit, l'authenticité de sa vie réside dans son engagement total dans l'action révolutionnaire de libération, dans le souci exclusif de la victoire, et cette action relègue la mort à une place réelle sans doute, mais néanmoins secondaire. Elle n'existe pour le héros qu'en tant que limite toujours présente et dont l'incorporation à la conscience rend seule son action réellement sérieuse.

Mais d'autre part elle constitue aussi une réalité virtuelle et inévitable étrangère à l'action et dont l'actualisation doit nécessairement enlever *rétroactivement* toute valeur à une action qui ne trouvait son fondement que dans l'individu.

Tant que Garine ou Perken agissent, la mort n'existe pour eux que comme risque et limite de l'action, dont l'assomption rend celle-ci sérieuse et valable. Dès que la mort apparaît, leur action perd *rétroactivement* toute valeur et ils se retrouvent seuls comme l'homme de Pascal ou celui de Lukács dans *la Métaphysique de la Tragédie.*

Quant à la structure constituée par cette synthèse de l'action et de la mort, elle crée un individu *sui generis* qui n'est ni l'homme tragique de Pascal et du premier Lukács, ni le génie romantique de Heidegger, mais Garine et Perken, les hommes d'action non conformistes, révolutionnaires, *problématiques* et *malades* des deux premiers romans de Malraux.

C'est dans cette perspective que nous allons analyser maintenant les deux écrits dont nous avons déjà dit que nous ignorons malheureusement l'ordre chronologique.

Les Conquérants, parus en 1927, se composent de trois parties dont les titres résument le roman : « Les approches », « Puissances », « L'homme ».

L'histoire elle-même est racontée par un jeune homme qui quitte l'Europe pour arriver sur les lieux où il rencontrera le héros du roman et où se joue un épisode décisif du devenir historique.

Dès la première ligne cependant Malraux indique que Garine n'existe pas de manière autonome, par lui-même. Dans le plan d'ensemble *l'homme*

n'arrive qu'après les *puissances;* et les *approches*
ont beau être celles qui amènent le narrateur vers
Garine, elles sont tout d'abord les approches du
lieu qui permet à Garine d'avoir une existence
significative, d'être lui-même ; le roman commence par constater dans la même phrase le lieu
de l'action et sa nature, l'essence de l'univers qu'il
décrit :

> *La grève générale est décrétée à Canton.*

Ce n'est pas un simple fait divers extrêmement
important peut-être mais néanmoins de même
nature que beaucoup d'autres, c'est, dans le
roman, une transformation radicale de l'univers,
l'instant où celui-ci commence à exister et où la
vie devient enfin possible. Dans le monde passif
et en décomposition que Malraux avait décrit dans
ses ouvrages précédents, quelque chose apparaît
qui ramène la vie et constitue une nouvelle valeur :
l'action et plus précisément l'action révolutionnaire et historique.

Dans ce monde avec lequel il ne s'identifie pas
(il n'est ni chinois ni révolutionnaire professionnel
et c'est pourquoi il peut être le héros du roman),
Garine pourra devenir un personnage essentiel
et — ce qui est la même chose — donner une
signification et une valeur à son existence.

Si nous nous plaçons à un niveau très général, nous pourrions nous contenter de constater que Malraux a découvert dans l'action historique la possibilité d'une création littéraire originale. Ce serait peut-être suffisant pour une étude phénoménologique. Comme sociologue, il nous faut aussi constater que cette action a dans l'œuvre romanesque de Malraux une forme concrète, déterminée par l'époque, celle de la rencontre avec le monde et l'idéologie communistes ; il faut donc nous arrêter quelque peu à l'analyse de cette rencontre.

Bien que nous n'ayons pas encore procédé à l'examen approfondi ne serait-ce que de la partie la plus importante de la littérature romanesque entre les deux guerres, il nous semble que Malraux est avec Victor Serge le seul écrivain connu qui ait fait de la révolution prolétarienne un élément structurel important de ses créations littéraires. Au fond, entre 1927 et 1939, Malraux est en France le seul grand romancier de cette Révolution. C'est dire l'importance qu'a eue pour lui la rencontre qui lui a permis de créer un véritable monde romanesque, la rencontre avec l'idéologie communiste qui lui est de toute évidence d'abord apparue comme l'unique réalité authentique dans un monde en décomposition.

De toute évidence aussi, Malraux n'est pas communiste, ni dans ses trois premières œuvres romanesques, *les Conquérants, la Voie royale* et *la Condition humaine*, ni dans son dernier ouvrage proprement littéraire, *les Noyers de l'Altenburg*, les œuvres écrites dans la perspective la plus proche de la pensée communiste officielle étant *le Temps du Mépris* et surtout *l'Espoir*. Cette constatation pose à celui qui veut entreprendre une étude sociologique des écrits de Malraux au moins deux groupes de problèmes importants. Le premier, qui suppose une vaste recherche empirique, est celui de savoir dans quelle mesure la relation assez complexe de Malraux avec la pensée communiste entre 1925 et 1933 est un phénomène individuel ou au contraire exprime un fait plus général résultant de la rencontre des préoccupations qui dominent certains groupes d'intellectuels français avec la réalité de la révolution russe et du mouvement révolutionnaire mondial; le second, d'ordre proprement esthétique, est celui de la relation entre la place qu'occupe dans cette vision le mouvement communiste et la forme littéraire des œuvres elles-mêmes.

Ce n'est pas un hasard en effet si la forme romanesque des trois premiers écrits *(les Conqué-rants, la Voie royale, la Condition humaine)* coïn-

cide avec une relation complexe qui implique à
la fois une communauté et une distance entre
l'écrivain et le mouvement, alors que, dans *le
Temps du Mépris* et dans *l'Espoir*, lorsque le
rapprochement prend le pas sur la distance, nous
voyons cette forme proprement romanesque écla-
ter pour faire place à une forme littéraire nouvelle
sui generis qu'il faudrait encore analyser. Disons
enfin que *les Noyers de l'Altenburg*, ouvrage intermédiaire du point de vue formel entre la création
littéraire et l'essai, se définissent eux aussi en très
grande partie par la relation entre Malraux et le
communisme, dans la mesure même où un des
aspects de cet écrit en est précisément la rupture
radicale.

Avant de passer à l'analyse des *Conquérants*,
disons aussi qu'il existe, à propos de ce roman,
deux textes importants qui nous paraissent
fondés sur un seul et même malentendu. Une
lettre de Trotsky qui traite du livre comme s'il
s'agissait d'un écrit politique en ignorant complètement son caractère littéraire et les exigences
formelles de la structure romanesque, et, chose
curieuse, une postface ajoutée par Malraux,
au moment de sa réédition dans la « Pléiade »
où il explique pourquoi il refuse le communisme,
et où il se situe, dans une perspective opposée

sans doute, sur le même plan que jadis la lettre
de Trotsky. Il va de soi que dans notre analyse,
nous essaierons au contraire de rester sur le plan
de l'étude d'un univers imaginaire fondé sans
doute dans la réalité sociale et politique de l'époque
et pour l'étude duquel les convictions politiques
de l'écrivain constituent un des facteurs expli-
catifs, mais un seul parmi d'autres, et pas toujours
le plus important (car le sociologue de la littérature sait que très souvent les exigences formelles
prennent le pas sur les convictions conceptuelles
de l'auteur), univers qui a cependant ses exigences
structurelles propres qu'il s'agit précisément de
comprendre et de mettre en lumière.

> *La grève générale est décrétée à Canton.*

Pour la vie des coolies chinois et pour la civilisation chinoise ce fait indique un tournant décisif.

> *La Chine ne connaissait pas les idées qui tendent
> à l'action et elles la saisissent comme l'idée d'égalité
> saisissait en France les hommes de 89 : comme une proie ...
> A Canton... l'individualisme le plus simple était insoup-
> çonné. Les coolies sont en train de découvrir qu'ils existent,
> simplement qu'ils existent ... La propagande ... de Garine ...
> a agi sur eux d'une façon trouble et profonde — et impré-
> vue — avec une extraordinaire violence en leur donnant
> la possibilité de croire à leur propre dignité ... la révolu-
> tion française, la révolution russe ont été fortes parce
> qu'elles ont donné à chacun sa terre ; cette révolution-ci est
> en train de donner à chacun sa vie.*

Les dernières phrases montrent d'emblée que dans le roman la révolution chinoise prend une importance particulière et différente de celle de la révolution russe et du communisme international, d'ailleurs le texte note lui-même cette distance :

> « *Borodine n'a peut-être pas encore bien compris cela.* »

D'autres passages indiquent la même chose ; le narrateur qui, en route vers Canton, lit les messages, et réagit conformément à l'importance qu'ont les lieux et les choses pour l'univers du roman.

> Suisse, Allemagne, Tchécoslovaquie, Autriche, *passons, passons,* — Russie, *voyons. Non, rien d'intéressant.*
> Chine, *ah!* Moukden : Tchang-Tso-Lin...
> *Passons*
> Canton.

Dans ce passage, les noms de pays ou de villes ne sont pas de simples constatations géographiques ou sociologiques mais la description de la structure de l'espace romanesque.

Canton et la Chine au centre, la Russie plus loin, la Suisse, l'Allemagne, etc., en dehors de ses limites et par cela même indifférentes.

Or, et bien entendu la plupart des critiques l'ont senti, Malraux reste un écrivain occidental préoccupé par les problèmes de l'Occident. Si, pour écrire les romans de la révolution, il situe leur action en Chine et en Espagne, c'est parce que les mouvements révolutionnaires s'y produisent et que, par souci de visée réaliste, il doit situer son action aussi près que possible de la réalité. Il nous semble cependant que, dans ces romans et peut-être dans la pensée de la plupart des intellectuels de gauche de l'époque, on ne trouve *aucune trace* de la conscience d'un fait devenu aujourd'hui évident pour nous : à savoir que la Chine en particulier et les pays non industrialisés en général ont leurs problèmes propres, différents de ceux qui se posent aux sociétés occidentales, et que, dans les deux groupes de pays, se dessinent des évolutions différentes.

En parlant de la Chine, Malraux ne veut ni se réfugier dans l'exotisme ni décrire une situation particulière, mais parler de l'homme universel et, implicitement, de l'homme occidental, de lui-même et de tous ses camarades.

Dans cette perspective, la Chine, Canton, la lutte contre l'Angleterre représentent l'action historique et révolutionnaire universelle, l'action libératrice qui apporte à l'homme une nouvelle conscience de son existence et de sa dignité. Et, bien entendu, l'univers du roman s'organise entièrement sur l'axe de cette action : le capita-

lisme étranger, — représenté notamment par
l'Angleterre, avec ses alliés en Chine même —,
y incarne les puissances antagonistes, et, chose
importante, la Russie soviétique, avec ses représentants dans le roman, Klein, Borodine, Nikolaïev,
constitue une force alliée positive mais néanmoins
étrangère et différente de la révolution chinoise.

La première partie, « Approches », raconte
comment le voyageur voit se dessiner progressivement au cours de son voyage l'univers du roman,
univers dont nous savons déjà qu'il est constitué
par les éléments qu'indiquent les titres des deux
autres parties du livre : « Les Puissances », — la
révolution chinoise appuyée par la Russie et les
communistes, et, en face d'elle, l'Angleterre
— et « L'Homme », — Garine.

A l'intérieur de ce cadre général constitué
par les puissances en conflit, examinons la structure interne de la puissance révolutionnaire et
les principaux personnages qui l'incarnent. Il y a
d'abord la masse chinoise, décrite dans sa structuration complexe, depuis les pauvres d'Indochine,
sympathisants passifs qui se contentent d'appuyer
la révolution par leur aide financière, jusqu'aux
cadres syndicaux et aux élèves de l'école militaire. Nous n'insisterons pas sur leur analyse.
C'est un problème sans doute important pour une

étude exhaustive de l'œuvre mais dont l'abord
risquerait d'allonger démesurément les cadres de
cette étude. Cette masse constitue l'arrière-plan
de l'ouvrage.

Quant aux individus, il y a, au premier plan,
Garine et Borodine, « les deux manitous ».

Au premier abord, on pourrait être tenté d'écrire
« le héros de Malraux et le militant communiste »,
mais ce serait simplifier à l'extrême car, dans le
roman, le communisme est représenté par trois
personnages qui incarnent de toute évidence
dans la perspective de Malraux et de Garine trois
éléments constitutifs et distincts du mouvement
communiste ayant chacun une valeur humaine
différente : Klein, Borodine et Nicolaïev.

Le premier, Klein est le militant dévoué sans
réserves, étroitement lié au peuple (dans le roman
cette liaison est exprimée par sa relation avec sa
femme, incarnation intégrale du peuple opprimé)
qui consacre toute sa vie au parti et que son
action mènera à la mort et à la torture.

Borodine est le chef révolutionnaire, l'homme
d'action pour qui cependant l'action ne saurait
exister qu'en tant que *lutte contre l'oppression;*
disons d'emblée que comme l'action de Garine
est structurée et menacée par la limite de la
mort, celle de Borodine se trouve structurée et

menacée par une limite différente mais ayant une fonction analogue, celle de la victoire ; révolutionnaire professionnel, Borodine ne saurait jamais devenir ni gouvernant ni homme d'État. C'est pourquoi dans le roman où la maladie est l'expression d'une action dont l'avenir menace de détruire rétroactivement la signification, il est comme Garine, bien que pour des raisons différentes, *gravement malade.*

Enfin Nicolaïev, policier éternel tel qu'il l'a été sous le tsarisme, qu'il l'est maintenant en Chine, qu'il le sera toujours, et pour lequel la victoire ne saurait apporter aucun changement ; limité, robuste cependant et remplissant des fonctions utiles, mais ayant à peine une valeur humaine.

Dans ce roman de la révolution Garine et Borodine sont « les deux manitous » parce que leur vie est étroitement liée à l'action révolutionnaire comme telle et ne saurait se concevoir en dehors de celle-ci ; leur existence perdra toute signification au moment où cette action cessera, pour Garine à cause de la mort, pour Borodine à cause de la victoire du parti auquel il appartient.

Autour d'eux, les deux personnages les plus importants, Hong et Tcheng-Daï, incarnent l'un et l'autre l'attitude abstraite, de principe, sans

lien avec la situation concrète et les conséquences
de leurs actes. Hong, l'anarchiste, sur le plan
matériel de l'action, Tcheng-Daï, sur le plan
spiritualiste et abstrait des principes. Hong en
arrive à vouloir tuer à tout prix les riches et les
puissants ; Tcheng-Daï s'oppose par principe à
toute violence. Au fond, ils sont l'un et l'autre,
chacun à sa manière, des moralistes kantiens et
des idéalistes.

Ayant ainsi rencontré au cours de son voyage
les puissances qui constituent non pas le cadre
mais les éléments même de la structure romanesque, le narrateur — et Malraux — sont enfin
en mesure, grâce à la lecture d'une fiche de police,
d'évoquer, en allant de l'extérieur vers l'essentiel,
le personnage central du roman : Garine.

La fiche indique tout d'abord « anarchiste
militant », mais le narrateur, qui l'a connu jadis,
corrige : « *bien qu'ayant fréquenté les milieux
anarchistes, il ne l'a jamais été lui-même* ». Ce
qui le préoccupait ce n'était pas tel ou tel idéal
mais le moyen de donner une signification à sa vie.

> *A vingt ans... encore sous l'influence des études de
> lettres qu'il venait de terminer et dont il ne restait en lui
> que la révélation de grandes existences opposées (« Quels
> livres valent d'être écrits, hormis les Mémoires ? »)* il
> *était indifférent aux systèmes, décidé à choisir celui que
> les circonstances lui imposeraient.*

Un peu plus loin, en parlant des anarchistes :

> *Ces crétins-là veulent avoir raison. En l'occurrence, il n'y a qu'une raison qui ne soit pas une parade : l'emploi le plus efficace de sa force.*

Et cet emploi ne saurait exister qu'engagé dans la lutte pour un but précis et non pas tourné vers soi-même.

> « *Ce n'est pas tant l'homme qui fait le chef que la conquête* », *m'avait-il dit un jour. Il avait ajouté avec ironie :* « *Malheureusement !* » *Et quelques jours plus tard* (*il lisait alors le* Mémorial) : « *Surtout, c'est la conquête qui maintient l'âme du chef. Napoléon, à Sainte-Hélène, va jusqu'à dire :* " *Tout de même, quel roman que ma vie !* " *Le génie aussi pourrit...* »

Mêlé à une obscure histoire d'aide financière à de jeunes femmes qui voulaient avorter il se trouve un jour, à Genève, inculpé, et doit passer en jugement. Le seul sentiment que lui inspire le procès est celui de l'absurdité totale de la comédie qui se joue devant lui et de sa participation même extérieure à une société à laquelle il se découvre totalement étranger.

Engagé par la suite dans la Légion étrangère, il trouve la guerre tout aussi éloignée de l'action authentique que l'anarchisme et s'évade à très bref délai ; entré en contact à Zurich avec des émigrés bolcheviques, il a d'abord l'impression qu'il s'agit de simples théoriciens jusqu'au jour où il découvre

avec étonnement que ces doctrinaires avaient organisé et réussi une révolution.

Ayant rencontré pour la première fois une efficacité révolutionnaire, il essaie de faire jouer ses relations pour se rendre en Russie, n'y parvient pas
mais réussit à se faire appeler en Chine où il fera
du bureau de la propagande qui lui est confié plus
ou moins par hasard, et qui était une institution
sans beaucoup d'importance, un des principaux
centres d'action révolutionnaire. C'est à travers
lui et son organisation qu'est devenue possible cette
transformation de la Chine qui paralyse l'adversaire dans la grève de Canton. Ajoutons qu'au cours
de son voyage le narrateur a eu l'occasion d'apprendre que cette action qui, vue de l'extérieur,
paraît si grandiose et si efficace, est minée par de
multiples dangers internes : le manque d'argent,
la puissance de l'adversaire, ses agents dans le
camp chinois, l'immense autorité, opposée à la violence, de Tcheng-Daï, etc.

Loin que la partie soit jouée, nous sommes au
moment où elle se décide et où la victoire ou la
défaite donneront sa signification à l'enjeu de
Garine : sa vie.

Enfin, dans cette description du personnage
romanesque et de sa problématique, Malraux nous
a réservé pour les dernières lignes de cette première

partie la fin de la fiche de police, l'élément décisif qui définit le statut structurel de Garine :

> « *Je me permets d'attirer tout spécialement votre attention sur ceci :* cet homme est gravement malade. »

Bien entendu, la fiche ne mentionne ni la nature ni la conséquence de cette maladie. Elle spécifie cependant qu'il

> « *sera obligé de quitter le Tropique avant peu* »,

ce que le narrateur commente en deux mots :

> *J'en doute.*

Les deuxième et troisième parties du livre vont nous montrer cette structure que nous connaissons déjà (les puissances et le héros), en action. Il n'est pas possible, bien entendu, dans le cadre d'une étude limitée, d'analyser en détail chacun des romans de Malraux ; la structure une fois dessinée, il faut procéder par touches partielles.

L'action tourne autour de l'effort des révolutionnaires, dont l'organisation est dirigée par deux personnalités marquantes, Garine et Borodine, pour obtenir du gouvernement un décret qui interdirait aux bateaux abordant en Chine de s'arrêter à Hong-Kong, et paralyserait ainsi le port. Le gouvernement, dont font partie non seulement les éléments révolutionnaires mais aussi les représentants de la bourgeoisie modérée, hésite et tergiverse.

Or, l'une des forces les plus importantes qui le poussent à temporiser est Tcheng-Daï, représentant des traditions chinoises, moraliste opposé à la violence, dont le prestige est considérable. Derrière lui, se dresse, membre, lui aussi, du Kuomintang, le général Tang qui, appuyé sur l'Angleterre, prépare l'intervention militaire contre les forces révolutionnaires de Canton. Et Tcheng-Daï, partisan de la lutte purement spirituelle et de l'unité dans le Kuomintang, l'appuie, bien entendu, en ignorant ou en feignant d'ignorer qu'il fait ainsi le jeu de l'adversaire.

En face d'eux, Hong, le moraliste de l'action et de la violence révolutionnaires, finira par vouloir tuer tous les riches indépendamment des conséquences politiques de son action, et sans se soucier du fait que les révolutionnaires ont besoin de l'appui d'une partie de la bourgeoisie démocratique. Or, en effrayant celle-ci et en la rejetant vers les modérés, son action aura objectivement les mêmes conséquences que celle de Tcheng-Daï.

Ajoutons enfin que si le sujet du roman est la victoire des forces révolutionnaires sur la tentative d'intervention militaire du général Tang, et si cette victoire apparaît dans l'univers du roman comme définitive (tous les adversaires immédiats de la révolution, Tang, Tcheng-Daï et même Hong,

sont vaincus et le décret est signé), on nous indique néanmoins que la lutte continue et qu'il y aura
encore de nombreux épisodes du type de la révolte
de Tang.

A l'intérieur de ce schéma, nous choisirons quelques épisodes qui caractérisent les principaux personnages.

Commençons par celui de Tcheng-Daï, tel que
le voit Garine. Son essence est formulée en un mot :
il est « l'adversaire ». Sa force trouve sa source dans
son union avec la mentalité et la tradition chinoises :

> *Sun-Yat-Sen a dit avant de mourir : « La parole de*
> *Borodine est ma parole. » Mais la parole de Tcheng-Daï*
> *est aussi sa parole, et il n'a pas été nécessaire qu'il*
> *le dît.*

La noblesse est un des principaux traits de caractère de Tcheng-Daï, mais « sa noblesse, pour être
réelle, ne va pas sans habileté ».

> *« Son autorité est avant tout morale. On n'a pas tort,*
> *dit Garine, de parler de Ghandi à son sujet... Mais,*
> *si les deux actions sont parallèles, les hommes, eux,*
> *sont fort différents. »*

Car Ghandi veut enseigner aux hommes à vivre
alors que Tcheng-Daï

> *ne veut être ni l'exemple, ni le chef, mais le conseiller (...)*
> *sa vie entière est une protestation morale et son espoir*
> *de vaincre par la justice n'exprime point autre chose*

*que la plus grande force dont puisse se parer la faiblesse
profonde, irrémédiable, si répandue dans sa race. (...)
Il est beaucoup plus attaché à sa protestation que décidé
à vaincre ; il lui convient d'être l'âme et l'expression d'un
peuple opprimé (...) Noble figure de victime qui soigne
sa biographie (...) Garine, un jour, a terminé une discussion sur la Troisième Internationale par : « Mais la
Troisième Internationale, elle, a fait la Révolution. »
Tcheng-Daï n'a répondu que par un geste à la fois évasif
et restrictif (...) Garine dit que jamais il n'a compris
aussi vivement la distance qui les sépare (...) Tcheng-
Daï désintéressé entend ne point laisser ignorer (son)
désintéressement.*

Derrière lui se sont organisés Tang et les forces
réactionnaires appuyées par l'Angleterre, et lorsque
le narrateur s'étonne « qu'un tel mouvement puisse
se préparer à l'insu du vieillard », Garine répond :

> *« Il ne veut pas savoir, il ne veut pas engager sa respon-
sabilité morale. Mais je crois qu'il veut bien soupçonner... »*

A partir de cette description on comprend facilement son entretien avec Garine. Il a demandé à
voir ce dernier et commence par protester contre
les attentats que Hong, le moraliste de la violence,
organise parmi ses amis. Garine, hostile à ces attentats, entend néanmoins se réserver la possibilité
d'utiliser Hong contre Tcheng-Daï lui-même [1].
Pour l'instant il essaie cependant encore de convain-

---

1. A la fin il laissera celui-ci ordonner l'exécution de Hong et Hong
assassiner Tcheng-Daï avant sa propre arrestation.

cre celui-ci d'approuver le décret de boycott et de
s'opposer aux entreprises de Tang ; leur entretien
sera bien entendu un dialogue de sourds :

> — *Monsieur Garine... Je ne crois pas devoir vous
> demander si vous connaissez les attentats qui se sont
> succédé ces jours derniers... Monsieur Garine ces attentats
> se succèdent trop.*
>
> *Garine répond par un geste qui signifie : Qu'y puis-je ?*
>
> — *Nous nous comprenons, Monsieur Garine, nous
> nous comprenons.*
>
> — *Monsieur Tcheng-Daï, vous connaissez le général
> Tang, n'est-ce pas ?*
>
> — *Monsieur le général Tang est un homme loyal
> et juste... Je compte obtenir du Comité Central des mesures
> effectives pour réprimer les attentats. Je crois qu'il serait
> bon de faire mettre en accusation les hommes connus de
> tous comme chefs des groupes terroristes*

La situation ayant été ainsi précisée, la discussion
devient idéologique.

> *Garine : « Vous ne contestez pas, me semble-t-il, la
> valeur de notre action ? Et cependant vous tentez de
> l'affaiblir...*
>
> — *Les qualités de certains membres du comité et
> les vôtres, Monsieur Garine, sont éminentes. Mais vous
> donnez une grande force à un esprit qu'il nous est impos-
> sible d'approuver pleinement. Quelle importance vous
> accordez à l'école militaire de Wampoa !... j'ai la convic-
> tion que le mouvement du parti ne sera digne de ce que
> nous attendons de lui qu'à la condition de rester fondé
> sur la justice. Vous voulez attaquer... Non... que les
> impérialistes prennent toutes leurs responsabilités...
> quelques nouveaux assassinats malheureux feront plus
> pour la cause de tous que les cadets de Wampoa. »*

Par la suite il exprimera son impression que la guerre ne déplairait pas à Garine et à Borodine et que les Chinois sont traités par eux comme des cobayes.

Garine objecte :

> — *Il me semble que si une nation a servi d'expérience au monde entier, ce n'est pas la Chine, c'est la Russie.*
>
> — *Sans doute, sans doute... mais elle avait peut-être besoin de cela.*
>
> *Nous n'avons pas le droit d'attaquer l'Angleterre d'une façon effective, par un acte du Gouvernement.*
>
> — *Si Ghandi n'était pas intervenu — au nom de la justice lui aussi — pour briser le dernier Hartal, les Anglais ne seraient plus aux Indes.*
>
> — *Si Ghandi n'était pas intervenu, Monsieur Garine, l'Inde, qui donne au monde la plus haute leçon que nous puissions entendre aujourd'hui, ne serait qu'une contrée d'Asie en révolte.*

Lorsque l'entretien est fini,

> *il se lève non sans peine et se dirige vers la porte à petits pas. Garine l'accompagne; dès que la porte est refermée, il se tourne vers moi: « Bon Dieu, Seigneur, délivrez-nous des saints ! »*

Si Tcheng-Daï est le moraliste de l'intention, Hong, à la fois son contraire et son complément, est le moraliste de la violence et de l'assassinat terroriste. Comment en est-il arrivé là ? Non par la découverte d'un principe universel mais par celle d'une possibilité d'exister *en tant qu'individu.* Garine l'explique :

« *Les pauvres ont compris que leur détresse est sans
espoir. Les lépreux qui cessaient de croire en Dieu empoi-
sonnaient les fontaines... Tu verras cela à merveille
par l'exemple de Hong et de presque tous les terroristes...
En même temps que la terreur d'une mort sans signification... naît l'idée de la possibilité, pour chaque homme,
de vaincre la vie collective des malheureux, de parvenir
à cette vie particulière individuelle, qu'ils tiennent confu-
sément pour le bien le plus précieux des riches.* »

Et plus loin, en parlant de Hong :

« *... il ne souhaite ni puissance ni richesse... il a découvert qu'il ne haïssait point le bonheur des riches, mais
le respect qu'ils avaient d'eux-mêmes... attaché au présent
de toute la force que lui donne sa découverte de la mort,
il n'accepte plus, ne cherche plus, ne discute plus, il
hait...* »

Son individualisme se définit ainsi : il ne se subor-
donne à rien et ne connaît aucune valeur qui le dépasse.

« *Il ne veut point que les choses soient arrangées. Il
ne veut point abandonner au bénéfice d'un avenir incer-
tain sa haine présente...* » Il n'est point « *de ceux qui
ont des enfants ni de ceux qui se sacrifient, ni de ceux
qui ont raison pour d'autres qu'eux-mêmes...* » Il ne veut
voir en Tcheng-Daï « *que celui qui prétend au nom de
la justice le frustrer de sa vengeance.* »

Il est « *encore plein de forces mais sans espoir... un
anarchiste.* »

Et Garine définit sa relation avec lui :

« *La rupture entre nous est prochaine... il est peu
d'ennemis que je comprenne mieux...* »

Si Tcheng-Daï et Hong sont à la fois opposés et
analogues, un moraliste de l'esprit et un moraliste

de la violence révolutionnaire, il nous reste à analyser les deux définitions que donne Garine de ses
rapports avec l'un et l'autre : *Tcheng-Daï, l'adversaire, Hong, l'ennemi, qui lui est le plus proche et
qu'il comprend le mieux.*

Ces deux phrases suffiraient presque à définir
Garine, pour qui l'ennemi n'est, bien entendu, ni
Tcheng-Daï ni Hong mais l'Angleterre, mais pour
qui ils le deviennent l'un et l'autre dans la mesure
où, par leur comportement, ils aident objectivement l'adversaire et affaiblissent la révolution. Mais
Garine ne s'identifie pas non plus à la révolution ;
celle-ci est pour lui uniquement la réalité médiatrice qui, structurant l'univers, donne une signification à son action et, par cela même, à son existence.

C'est pourquoi, Tcheng-Daï et Hong, obstacles
objectifs à la révolution et, comme tels, adversaires,
le sont néanmoins sur un mode différent. Tcheng-
Daï l'est aussi *subjectivement,* car il nie la valeur de
l'action et, prônant un principe universel, ignore
le problème de l'authenticité individuelle. Inversement, Hong est centré sur le même problème que
Garine, celui d'exister en tant qu'individu, et choi-
sit les mêmes moyens que lui : l'action et la lutte
violente contre l'oppression. La différence entre
les deux réside en ce que cette violence, pour Hong,

suffit en tant que réalité abstraite, alors que Garine, qui est lui aussi à la recherche de la signification de sa vie, a compris qu'il ne peut la réaliser de manière authentique et sans mensonge qu'en cessant d'une part de s'occuper de lui-même, et en refusant d'autre part toute idée générale, et par cela même abstraite, pour se rallier aux forces réelles de l'histoire.

Quant à Nicolaïev et Borodine, il suffit pour les caractériser d'analyser un texte particulièrement important, l'entretien du narrateur avec le premier sur Garine. En principe, dans ce texte, Nicolaïev oppose Garine l'individualiste au communiste Borodine, mais il nous indique déjà qu'il n'accepte pas non plus entièrement ce dernier.

> « *Eh ! Borodine...* » *Il met ses mains dans ses poches et sourit, non sans hostilité.* « *Il y aurait bien des choses à dire sur lui...* »

Et lorsque le narrateur, opposant Garine au parti communiste, parle « des communistes de type romain... », qui défendent à Moscou les acquisitions de la révolution et ne veulent pas accepter les révolutionnaires du type conquérant, Nicolaïev corrige :

> « *Tu n'y comprends rien. A tort ou à raison, Borodine joue ce qui représente ici le prolétariat, dans la mesure où il peut le faire. Il sert d'abord ce prolétariat, cette sorte de noyau qui doit prendre conscience de lui-même, grandir pour saisir le pouvoir. Borodine est une espèce d'homme de barre qui...* »

Le dialogue passe par la suite de nouveau à la comparaison Borodine-Garine et nous apprenons que la révolution n'est un axe qu'aussi longtemps qu'elle n'est pas faite (ce qui vaut pour les deux), et que Garine au pouvoir risquerait de devenir « *un mussoliniste* ». Le texte distingue ainsi trois types humains : les communistes de type romain (Nicolaïev et les gens de Moscou) ; Borodine qui, incarnant le prolétariat révolutionnaire, a abandonné tout individualisme, mais pour qui la révolution est un axe tant qu'elle n'est pas faite ; et enfin Garine, l'individualiste qui trouve, lui aussi, dans la révolution, le sens de son existence mais pour lequel la fin de la révolution pourrait provoquer, s'il survivait, le risque de devenir un aventurier mussolinien. Tout ceci est repris de manière particulièrement claire dans les derniers mots de Nicolaïev :

> « *Certes, le communisme peut employer des révolutionnaires de ce genre (...) mais en les faisant... soutenir par deux tchekistes résolus. Résolus. Qu'est-ce que cette police limitée ? Borodine, Garine, tout ça...* »
> *D'un geste mou, il semble mélanger les liquides.*
> « *Il finira bien comme ton ami Borodine : la conscience individuelle, vois-tu, c'est la maladie des chefs. Ce qui manque le plus, ici, c'est une vraie Tchéka...* »

Poursuivant, de la périphérie vers le centre, notre analyse de l'univers des *Conquérants*, nous rencontrons enfin Garine.

Celui-ci a trouvé la signification de sa vie en s'engageant dans l'action historique, dans la lutte pour le triomphe de la liberté, et en essayant de laisser à travers celle-ci, dans l'univers des hommes, une marque de son existence. La structure de sa condition est complexe car il ne se définit pas, comme les révolutionnaires authentiques, — Borodine par exemple, — uniquement, ou même en premier lieu, par son engagement dans la lutte et son aspiration à la victoire. La signification de sa participation au combat est médiatisée et résulte de son désir de donner un sens à sa propre existence. Garine est avant tout individualiste, et, de plus, individualiste d'une manière particulière ; c'est en effet le désir de s'affirmer en tant qu'individu à l'encontre d'une menace permanente et en dernière instance inévitable : celle de l'anéantissement dans le Royaume Farfelu, dans l'empire de la Mort qu'avaient décrit les premiers ouvrages de Malraux et dont *les Conquérants* nous disent que Garine avait senti à la fois la menace et la présence au moment de son absurde procès de Genève.

C'est son engagement dans la révolution chinoise qui lui a apporté, chose qu'il n'avait trouvée ni dans l'anarchisme, ni dans la Légion étrangère, un moyen d'échapper à l'absurde. Mais il ne s'est jamais identifié avec la révolution. Engagé dans la

lutte pour une cause valable, Garine est en mesure,
par cet engagement, d'imposer au monde par son
action les valeurs auxquelles il a adhéré. Il est
cependant important pour le comprendre de savoir
que ce ne sont pas les valeurs qui pour lui constituent l'essentiel, mais l'*action* [1]. Or cette action est
mise en cause par l'intrusion toujours menaçante
d'une réalité inévitable et qui lui est totalement
étrangère : la mort. Celle-ci enlèvera nécessairement et surtout *rétroactivement* toute signification
à sa vie et à son action et le rejettera dans le même
néant auquel l'action lui avait permis d'échapper [2].

1. Malraux nous a déjà dit qu'après la victoire de la Révolution,
Garine pourrait devenir mussolinien. Dans l'univers du roman cela
enlèverait bien entendu à son action toute signification authentique.
Mais l'existence même de cette menace, le danger de se tromper comme
élément constitutif du personnage — opposé en cela à celui de Borodine — provient du fait qu'il ne recherche pas les valeurs en elles-
mêmes, mais seulement en tant qu'élément indispensable d'une action
significative.

2. Pour éviter tout malentendu il est nécessaire de souligner que la
mort présente pour les héros de Malraux deux aspects *différents* et
complémentaires. Elle est, en effet, selon les circonstances, par rapport
à l'action, une réalité immanente et significative ou bien transcendante et absurde. En tant que réalité immanente à l'action, elle en
constitue un élément essentiel sous le double aspect du risque d'être
tué que comporte toute action historique sérieuse (en cela, elle est la
même pour tous les révolutionnaires : Klein, Borodine, Nicolaïev)
et de la possibilité, essentielle pour Garine — et, plus tard, pour Perken
— du suicide qui permet d'éviter la déchéance en cas de défaite et
de réduction à la passivité. (Nous reviendrons sur l'importance du
suicide dans les deux premiers romans de Malraux).
Mais en dehors de cet aspect *immanent* et *significatif*, la mort est

Dans cette perspective, une phrase indique l'axe essentiel du roman, la structure qu'y a la révolution. Garine écrit un rapport destiné à Borodine et le narrateur commente :

> *La plus ancienne puissance de l'Asie reparaît. Les hôpitaux de Hong-Kong, abandonnés par leurs infirmières, sont pleins de malades et, sur ce papier que jaunit la lumière, c'est encore un malade qui écrit à un autre malade.*

Dans le livre, cependant, la maladie n'a pas une structure statique. Constituée par la relation entre l'action et le néant, ses accès rapprochent progressivement, dans la mesure même de leur gravité, Garine de la mort et du néant et cela jusqu'au dénouement, sur lequel nous aurons à revenir et qui sera la rupture définitive avec la révolution.

Précisons aussi, que plus Garine est engagé dans l'action, plus sa vie atteint une signification authentique, de sorte que plus il existe, moins il pense à lui-même, à la maladie, à la mort et au néant. Au moment de l'action, le but à réaliser, la recherche

aussi, pour les héros comme pour tous les autres hommes, une menace permanente, étrangère à tout problème de l'action et sans lien avec celle-ci. Comme tous les hommes, Garine est menacé de mourir à n'importe quel moment et même, comme ce sera le cas dans le roman, au moment où cette mort aura l'aspect le plus absurde : celui de la victoire.

Et, bien entendu, par son arrivée, la mort détruira rétroactivement la signification que l'individu avait provisoirement pu trouver en tant qu'individu dans l'action historique.

de la victoire, la peur de la défaite occupent seuls
sa conscience. Inversement, la maladie, dans la
mesure même de son intensité, le ramène à soi-
même, à la mort, et l'éloigne de la révolution.

Mais, absurdité, mort, néant sont des concepts
abstraits, alors que dans un roman il n'y a que des
personnages individuels et des situations concrètes.
Dans *les Conquérants* ils prennent d'abord la forme
du souvenir du procès de Genève auquel les accès
de sa maladie ramènent en permanence Garine —
procès dont l'absurdité exprime naturellement
celle de la société occidentale tout entière et même
de l'Asie, dans la mesure où elle n'est pas en révolution. Garine est d'ailleurs conscient de cette liaison
entre la maladie et le retour à soi-même et à
l'absurde. A l'hôpital le narrateur veut le quitter :

> — *Veux-tu que je te laisse ?*
> — *Non, au contraire. Je ne désire pas rester seul.
> Je n'aime plus penser à moi, et, quand je suis malade,
> j'y pense toujours... (...)*
> — *C'est bizarre : après mon procès, j'éprouvais — mais
> très fortement — le sentiment de la vanité de toute vie,
> d'une humanité menée par des forces absurdes. Mainte-
> nant ça revient... C'est idiot, la maladie... Et pourtant,
> il me semble que je lutte contre l'absurde humain, en
> faisant ce que je fais ici... L'absurde retrouve ses droits...
> (...)*
> — *Ah ! cet ensemble insaisissable qui permet à un
> homme de sentir que sa vie est dominée par quelque chose...
> C'est étrange, la force des souvenirs, quand on est malade.*

> *Toute la journée, j'ai pensé à mon procès, je me demande*
> *bien pourquoi. C'est après ce procès que l'impression*
> *d'absurdité que me donnait l'ordre social s'est peu à peu*
> *étendue à presque tout ce qui est humain... Je n'y vois*
> *pas d'inconvénients, d'ailleurs... Pourtant, pourtant...*
> *En cet instant même, combien d'hommes sont en train*
> *de rêver à des victoires dont, il y a deux ans, ils ne soup-*
> *çonnaient pas même la possibilité! J'ai créé leur espoir.*
> *Je ne tiens pas à faire des phrases, mais enfin, l'espoir*
> *des hommes, c'est leur raison de vivre et de mourir...*
> *Et puis ?... Naturellement, on ne devrait pas tant parler*
> *quand la fièvre est trop forte... C'est idiot... Penser à*
> *soi toute la journée!... Pourquoi est-ce que je pense à ce*
> *procès ? Pourquoi. C'est si loin. C'est idiot, la fièvre,*
> *mais on voit des choses...*

Bien entendu, en dehors de l'image privilégiée
du procès, d'autres images vont encore avoir la
même signification. Pour l'instant, nous nous
contenterons d'en mentionner une, particulièrement importante, à la fois par sa signification
générale et par son insistance dans une œuvre où
nous la rencontrons pour la troisième fois : celle de
l'incendie qui, ayant détruit les dieux qui régnaient
autrefois sur le monde, ne laisse aujourd'hui que
la révolution, laquelle, sans être entièrement
valable (Garine, malade, est en train de s'éloigner
d'elle), reste néanmoins la seule promesse à laquelle
on peut encore faire foi :

> *A Kazan, la nuit de Noël, cette procession extra-*
> *ordinaire... Borodine était là, comme toujours... Quoi ?*

*Ils apportent tous les dieux devant la cathédrale : de
grandes figures comme celles des chars du Carnaval,
une déesse-poisson, le corps dans un maillot de sirène...
Deux cents, trois cents dieux... Luther aussi. Des musi-
ciens hérissés de fourrure font un chambard du diable
avec tous les instruments qu'ils ont trouvés. Un bûcher
brûle. Sur les épaules des types, les dieux tournent autour
de la place, noirs sur le bûcher, sur la neige... Un chahut
triomphal ! Les porteurs fatigués jettent leurs dieux
sur les flammes : une grande lueur claque les têtes, fait
sortir la cathédrale blanche de la nuit... Quoi ? La Révolution ? Oui, comme ça pendant sept ou huit heures !
J'aurais voulu voir l'aube. Pourriture !... On voit des
choses. La Révolution, on ne peut pas l'envoyer dans
le feu : tout ce qui n'est pas elle est pire qu'elle, il faut bien
le dire, même quand on en est dégoûté... Comme soi-
même ! Ni avec, ni sans. Au lycée, j'ai appris ça... en
latin. On balaiera. Quoi ? Peut-être aussi, y avait-il
de la neige... Quoi ?*

Il est très peu question d'érotisme et même de
relations entre hommes et femmes dans *les Conquérants* (on n'y trouve, en dehors du passage où la
femme de Klein vient trouver le cadavre de celui-ci,
qu'une seule scène dans laquelle Garine couche
avec deux prostituées chinoises). Le thème est par
contre longuement discuté et commenté dans *la
Voie royale*, écrite dans la même perspective.

Pour comprendre ces textes, il nous semble
important de constater que, dans les romans de
Malraux, les relations entre hommes et femmes
sont homologues aux relations entre les héros et le

monde social et politique. Nous avons déjà eu
l'occasion de l'observer dans les rapports de Klein
avec son épouse, lesquels sont finalement la reproduction fidèle des relations — telles qu'elles sont
vues dans le roman — entre les militants révolutionnaires de base, incarnés par Klein, et le prolétariat, ou, si l'on veut, le peuple opprimé et passif
incarné par sa femme. C'est une relation étroite,
presque organique, dans laquelle la femme et le
peuple sentent que le militant fait partie d'eux-
mêmes sans qu'ils participent cependant à la lutte,
ou, plus exactement, en limitant leur participation
à une aide matérielle et à la douleur devant son
cadavre torturé.

De la même manière, les relations avec les femmes
de Garine et de Perken sont analogues à leurs
rapports avec la réalité historique, ce qui veut
dire que ce sont des relations purement érotiques.
Garine et Perken, nous l'avons déjà dit, sont des
hommes d'action, des conquérants qui ne s'identifient pas à la communauté des hommes mais se
servent d'elle en l'organisant et en la maîtrisant
pour imposer leur marque à l'univers ; les femmes
ont pour eux une fonction analogue à celle du
groupe humain auquel ils s'associent ; la révolution
pour Garine, les Moïs pour Perken. Il se crée dans
les rapports érotiques entre eux et les partenaires

une communauté qu'ils dirigent et dans laquelle
ils sont les maîtres. Et cette liaison dans laquelle
ils traitent la femme en objet et qui leur permet de
sentir qu'ils existent, leur apporte, sur le plan
limité et réduit de l'érotisme, le même salut provisoire, la même conscience précaire d'exister que,
sur un plan plus vaste, l'action historique. Elle
leur fait sentir qu'ils ont évité pour l'instant le
même danger à la fois virtuel et permanent auquel
ils succomberont nécessairement à la fin de chaque
scène érotique, et définitivement, à la fin de leur
vie : le néant et l'impuissance. La possession de la
femme, surtout lorsqu'il s'agit aussi de possession
psychique comme dans *la Voie royale*, ne saurait
être que provisoire. La partenaire échappe nécessairement à la fin de l'union. De même, les prostituées avec lesquelles couche Garine ne se laissent
posséder que provisoirement et de manière extérieure et fugitive. C'est une relation homologue à
celle qu'ont Garine et Perken avec la réalité historique qui finira nécessairement par échapper à
leur domination. Conquérants, mais conquérants
malades et provisoires, l'érotisme leur apporte sur
un plan limité ce que l'action leur apporte sur
un plan plus vaste et plus essentiel : la conscience d'exister, une fin qu'on puisse valablement poursuivre et la possibilité d'échapper pour

un temps, si bref soit-il, à l'impuissance et au néant.

Pour éviter tout malentendu, soulignons dès maintenant que les relations entre hommes et femmes se modifieront dans les écrits ultérieurs de Malraux parallèlement à la modification de sa vision globale de l'homme et de la condition humaine.

Enfin, pour clore cette brève analyse des *Conquérants*, arrêtons-nous quelques instants au dénouement du roman, à la mort de Garine (en prenant soin de mentionner que la structure de ce dénouement est reprise sur un mode presque identique dans *la Voie royale*). Nous savons déjà en quoi il consiste : l'imminence de la mort séparera définitivement Garine du mouvement révolutionnaire et le rendra à une solitude par rapport à laquelle le passé même a perdu toute signification réelle et effective. Ayant vécu pendant tout le récit uniquement pour assurer le triomphe de la révolution, Garine entendra les pas cadencés de l'Armée Rouge victorieuse avec le sentiment intense qu'il est déjà ailleurs et qu'il n'y a plus de relation réelle entre lui et le combat dont cette victoire est l'aboutissement.

Par rapport au roman classique, cette fin nous paraît à la fois analogue et différente. La plupart

des romans à héros problématique dans l'histoire
de la littérature finissent en effet par une conversion dans laquelle le héros reconnaît la vanité de
ses efforts et de sa recherche antérieure. Or, la fin
des *Conquérants* et celle de *la Voie royale* présentent par certains côtés un caractère analogue.
Comme Don Quichotte, Julien Sorel, Frédéric
Moreau et Emma Bovary, Garine et Perken sentent
brusquement que leur action cesse de leur apporter
une signification authentique et qu'ils se trouvent
rigoureusement seuls. La différence n'est pas,
cependant, moins réelle, dans la mesure où les
quêtes de Don Quichotte, de Julien Sorel, de Madame Bovary ou de Frédéric Moreau étaient depuis toujours vaines, bien que le héros n'en eût
pas conscience, alors que l'action révolutionnaire
reste *en soi* valable, la mort en ayant seulement
écarté Garine et ayant même rétrospectivement
entaché la valeur de ses liens antérieurs avec
elle.

Rapprochées des analyses précédentes, ces quelques lignes devraient suffire pour dégager la fonction centrale et la signification de la mort du héros
dans le roman. Il nous paraît cependant important
de souligner que, dans les deux ouvrages écrits
dans cette perspective, Malraux a choisi le même
type de dénouement pour souligner au maximum

l'incompatibilité entre l'action et la mort. Garine
est déjà isolé, arraché à l'action par l'imminence
de sa mort lorsqu'on lui annonce que Nicolaïev
vient d'arrêter deux Chinois qui avaient essayé
d'empoisonner au cyanure les puits où s'appro-
visionne l'armée. Le danger le ramène à l'action et,
immédiatement, par ce fait même, l'isolement et
la mort disparaissent pour revenir au moment
où, les gaffes de Nicolaïev réparées, l'existence
d'un troisième agent établie, le danger sera sur-
monté.

Garine, revenu à la solitude, constate lui-même
ce brusque passage d'un monde à l'autre :

> « ... *Il suffit d'une gaffe de la Sûreté pour me faire rentrer
> dans cette vie de Canton comme dans mon veston, et
> pourtant, en ce moment, il me semble que je suis déjà
> parti...* »

Après cela, tout est fini. A la question, purement
formelle d'ailleurs, puisqu'il est certain qu'il
mourra incessamment :

> « *Où diable voudrais-tu donc aller ?* »

Garine répond :

> « *En Angleterre. Maintenant, je sais ce qu'est l'Empire.
> Une tenace, une constante violence. Diriger. Déterminer.
> Contraindre. La vie est là...* »

Mais il est déjà loin de Canton et de l'Angleterre,
du côté du néant et de son royaume sans forme.

Dans une dernière étreinte, le narrateur sent l'abîme insurmontable qui les sépare et le roman se termine sur les trois mots clefs : Mort, Désespoir, Fraternelle Gravité :

> *... Une tristesse inconnue naît en moi, profonde, déses-*
> *pérée, appelée par tout ce qu'il y a là de vain, par la*
> *mort présente... Lorsque la lumière, de nouveau, frappe*
> *nos visages, il me regarde. Je cherche dans ses yeux la*
> *joie que j'ai cru voir ; mais il n'y a rien de semblable,*
> *rien qu'une dure et pourtant fraternelle gravité.*

Il est curieux de constater que, comme dans *Royaume Farfelu* et *Lunes en Papier*, Malraux a repris par deux fois dans ses premiers romans — avec, bien entendu, un certain nombre de variations — le même thème : Perken est, en effet, l'homologue de Garine, et Claude celui du narrateur ; la lutte pour la défense des indigènes insoumis contre les États constitués est l'homologue de la révolte chinoise contre l'Angleterre, et bien entendu, à l'intérieur de ces deux structures apparentées, Perken a les mêmes problèmes que Garine et leur donne les mêmes solutions. Engagé dans la lutte des indigènes insoumis contre les États organisés — ainsi que Garine, dans la révolution chinoise — Perken ne s'est pas identifié à ces indigènes mais a trouvé dans l'organisation de leur combat et de leur résistance à la civilisation étatique la réalité médiatrice qui lui permet de se sentir exister et de donner un sens à sa vie [1].

A partir de cette structure commune, il y a aussi entre les deux romans un certain nombre de différences. Exactement comme les deux parties de *Lunes en Papier* racontaient une fois la défaite et une fois la victoire des écrivains afin de montrer que dans les deux cas les problèmes fondamentaux restaient les mêmes, *la Voie royale* oppose à la victoire de la révolution chinoise dans *les Conquérants* la défaite des tribus libres. D'autre part, bien que portant sur un univers analogue, la perspective est différente dans les deux romans : *les Conquérants* dessinaient la structure globale et nous mon-

---

1. Voici comment il définit son action et ses projets — projets qu'il situe déjà au passé au moment où commence le récit :

« ... Être roi est idiot ; ce qui compte, c'est de faire un royaume. Je n'ai pas joué l'imbécile avec un sabre ; à peine me suis-je servi de mon fusil (pourtant, croyez que je tire bien). *Mais je suis lié, de façon ou d'autre, à presque tous les chefs des tribus libres, jusqu'au Haut-Laos. Voilà quinze ans que cela dure. Je les ai atteints un à un, abrutis ou courageux. Et ce n'est pas le Siam qu'ils connaissent : c'est moi.*
— *Que voulez vous en faire ?*
— *Je voulais... Une force militaire, d'abord. Grossière mais rapide*ment transformable. Et attendre le conflit inévitable par ici, soit entre colonisateurs et colonisés, soit entre colonisateurs seulement. Alors, le jeu pourrait être joué. Exister dans un grand nombre d'hommes, et peut-être pour longtemps. Je veux laisser une cicatrice sur cette carte. Puisque je dois jouer contre ma mort, j'aime mieux jouer avec vingt tribus qu'avec un enfant... *Je voulais cela comme mon père voulait la propriété de son voisin, comme je veux des femmes.* »

traient Garine au centre de la lutte entre deux
groupes de forces historiques considérables ; *la Voie
royale* braque les projecteurs presque exclusive-
ment sur le couple Claude-Perken ; quant aux
forces historiques en conflit, reléguées à la périphérie de l'univers du roman, elles n'ont qu'une
réalité pour ainsi dire abstraite, juste suffisante
pour indiquer leur existence et nous ne rencontrons
dans le roman ni les insoumis, organisés par Perken,
ni le gouvernement du Siam, bien que leur réalité
soit sensible et leur nature dessinée par la présence
de voisins qui leur ressemblent (les Stiengs et les
Moïs pour les tribus libres, l'administration française pour le gouvernement du Siam). Dans cette
perspective, le combat s'éloigne avec les forces en
conflit. Sa place sera prise — en partie — par un
certain nombre de discussions et de réflexions
conceptuelles. C'est d'ailleurs le fait que ces discussions portent le plus souvent sur des aspects réels
mais à peine esquissés du héros dans *les Conquérants* qui nous a fait supposer que le livre a été
écrit en même temps ou après l'autre et avec un
certain souci de complémentarité.

Enfin, il y a dans *la Voie royale* un personnage
apparemment nouveau, Grabot, qui n'a cependant
pas de réalité propre mais incarne seulement un
des principaux dangers qui menacent en perma-

nence les conquérants du type de Garine et Perken.

Ces remarques préliminaires formulées, nous pouvons nous contenter de résumer l'intrigue du livre en nous arrêtant à quelques discussions et scènes particulièrement significatives.

Le cadre général du récit est la lutte permanente entre le néant informe incarné par la végétation de la forêt tropicale, et l'effort des hommes pour y introduire des formes significatives : la Voie royale des cités et des temples qui a jadis traversé le désert, recouverte et vaincue depuis par celui-ci et que Claude et Perken essaieront de faire revivre en des significations nouvelles en y cherchant, l'un l'argent, l'autre les moyens matériels pour défendre la liberté des tribus insoumises. A un niveau immédiat le sujet du récit est la lutte entre le désert et la Voie royale, Malraux nous indique lui-même que si l'ouvrage porte ce dernier titre, il devait constituer le premier tome d'une série intitulée « les Puissances du Désert ».

Sur un bateau en partance pour l'Indochine, le jeune Claude rencontre Perken, personnage légendaire qui a vécu longtemps parmi les sauvages insoumis chez lesquels il s'est taillé une sorte d'empire opposé au royaume du Siam et au domaine administré par les Français. Actuellement, après un séjour en Occident, Perken rentre en Indochine obsédé et déçu par un problème important qu'il n'est pas parvenu à résoudre : il n'a pas réussi en effet à trouver l'argent dont il avait besoin pour acheter les mitrailleuses nécessaires à la poursuite de son action.

Psychiquement, Perken se trouve dans un de ces creux que nous avons déjà rencontrés dans *les Conquérants* à chacune des poussées de la maladie de Garine ; il nous expliquera d'ailleurs lui-même que son désenchantement et son éloignement de l'action ne viennent pas seulement de l'échec de sa tentative pour trouver de l'argent mais aussi, et en premier lieu, de la conscience du vieillissement et de l'approche de la mort. Pour caractériser la situation, il faut encore ajouter que, dans la mesure où, malgré ses dispositions actuelles, Perken pense encore à sa lutte et à son royaume, il est préoccupé par le sort d'un certain Grabot, personnage semblable à lui-même, qui était parti se tailler un autre empire voisin du sien et dont l'existence et l'activité lui paraissent d'autant plus inquiétantes que, depuis quelque temps, il a disparu sans laisser de traces.

Quant à Claude, il se propose de récupérer, dans les temples abandonnés de l'ancienne Voie royale, des statues et des bas-reliefs pour les revendre en Europe où ils atteignent des prix exorbitants. Une

amitié, homologue à celle qui existait entre le narrateur des *Conquérants* et Garine s'établit rapide-
ment et naturellement entre Claude et Perken,
fondée non seulement sur le besoin commun
d'argent, mais aussi sur la nature commune des deux
personnages : ils sont l'un et l'autre des conquérants.

Après une rencontre, décrite sur le mode satiri-
que, avec un fonctionnaire de l'administration
française, Claude et Perken, poursuivant leur
route, trouvent effectivement des bas-reliefs au
milieu de la forêt tropicale mais sont, sur le chemin
du retour, abandonnés par les conducteurs des
charrettes dans un pays de sauvages insoumis où
ils croient sentir la présence invisible de Grabot.
Par la suite, ils vont cependant découvrir la vérité :
reçus dans le village par le chef des sauvages, ils
vont apprendre que Grabot, parti dans son entreprise difficile et risquée avec la conviction qu'à la
dernière limite il lui resterait toujours, en cas
d'échec, la solution du suicide, n'a pas eu le courage
de se tuer et est devenu esclave des sauvages.
Ceux-ci, après l'avoir rendu aveugle, l'ont attaché
à une meule qu'il est obligé de tourner.

Claude et Perken s'en emparent et l'emmènent
dans leur case, ce qui leur vaut d'être cernés par
les Stiengs qui ne sauraient admettre de leurs hôtes
un pareil comportement. Après plusieurs heures de

tension extrême pendant lesquelles Perken s'est
blessé au genou en tombant, on parvient à un compromis : les Stiengs permettent le départ des deux
Blancs qui promettent de leur renvoyer, en échange
de la libération de Grabot, une jarre par tête d'ha-
bitant. La promesse sera tenue et Grabot, qui ne
présente plus aucun intérêt, envoyé dans un hôpital. Mais Perken vient d'apprendre que sa blessure
est mortelle et qu'il n'a plus que quelques jours à
vivre. Arraché au monde par sa maladie, il essaye
en vain de retrouver une dernière fois le contact
avec celui-ci dans une scène érotique — sur laquelle
nous reviendrons — lorsqu'il apprend que le gouvernement du Siam, qui, pour se soumettre les
tribus libres, est en train de construire une voie
ferrée, a pris prétexte de la mutilation de Grabot
pour envoyer, en même temps que les jarres, une
expédition punitive contre les indigènes insoumis.
Comme Garine à la fin des *Conquérants*, Perken
sent la menace qui pèse sur son œuvre et retrouve
immédiatement l'univers de l'action. Accompagné
de Claude, il se fait conduire aussi vite que possible
dans les montagnes pour devancer la colonne et
organiser la résistance. Mais la mort l'atteindra
avant qu'il ne parvienne au but, sa défaite personnelle préfigurant la fin imminente et inévitable de
son royaume.

Le corps du roman est constitué avant tout par
la lutte des hommes — Perken et Claude — contre
les puissances informes et destructrices de formes
de la nature. On pourrait citer intégralement de
très nombreuses pages ; nous nous contenterons
de trois exemples :

> *La forêt et la chaleur étaient pourtant plus fortes que
> l'inquiétude : Claude sombrait comme dans une maladie
> dans cette fermentation où les formes se gonflaient, s'allon-
> geaient, pourrissaient hors du monde dans lequel l'homme
> compte, qui le séparait de lui-même avec la force de
> l'obscurité.*

> *L'unité de la forêt, maintenant, s'imposait ; depuis
> six jours Claude avait renoncé à séparer les êtres des
> formes, la vie qui bouge de la vie qui suinte ; une puis-
> sance inconnue liait aux arbres les fongosités, faisait
> grouiller toutes ces choses provisoires sur un sol semblable
> à l'écume des marais, dans ces bois fumants de commen-
> cement du monde. Quel acte humain, ici, avait un sens ?
> Quelle volonté conservait sa force ? Tout se ramifiait,
> s'amollissait, s'efforçait de s'accorder à ce monde ignoble
> et attirant à la fois comme le regard des idiots...*

> *La gangrène est aussi maîtresse de la forêt que l'insecte.*

Quant au personnage de Perken, nous avons déjà
dit qu'il présente une structure homologue à celle
de Garine, une structure où l'on retrouve les mêmes
éléments : l'action, l'érotisme, la maladie, la menace
du néant, la solitude, la mort. C'est pourquoi nous
renonçons à une analyse détaillée qui ne ferait que

reprendre celle que nous avons déjà esquissée en parlant des *Conquérants* et nous nous en tiendrons à quelques-unes des discussions conceptuelles qui jalonnent l'ouvrage et permettent d'observer, pour ainsi dire à la loupe, les éléments à peine esquissés dans *les Conquérants*.

La Voie royale commence par une longue discussion sur l'érotisme. Elle occupe, contrairement à ce qui se passe dans *les Conquérants*, une place particulièrement importante qui s'explique probablement par le souci de l'auteur de développer un élément qu'il s'était antérieurement contenté d'esquisser, mais se justifie aussi sur le plan psychologique et structural car si les relations entre hommes et femmes sont, dans l'ensemble de l'œuvre de Malraux, une reproduction des relations entre les hommes et l'univers, et si, dans les cas particuliers de Garine et de Perken, ces relations ont un caractère purement érotique, elles ont aussi dans leur vie une fonction complémentaire : chaque fois que la maladie prend le dessus et que leur relation avec la société et le monde se trouve mise en question, ils essaient de retrouver le sens de la domination et de l'existence sur le plan plus réduit et aussi plus immédiat de l'érotisme. Or, dans *la Voie royale*, Perken est précisément dans un tel creux ; c'est pourquoi aussi bien au début du roman qu'à la fin, au moment de la mort imminente, le désir érotique passe au premier plan. Sur la nature de ce désir, il n'y a pas grand-chose à ajouter à ce que nous avons déjà longuement développé en étudiant *les Conqué-rants*. Citons seulement quelques formules qui permettent d'illustrer notre analyse. L'érotisme de Perken comme celui de Grabot (et probablement celui de Garine s'il avait davantage été mis en lumière) exclut l'amour et est fait en tout premier lieu de désir de domination et de peur de l'impuis-sance. Au début du livre, Perken emploie des for-mules assez radicales.

> *Les hommes jeunes comprennent mal... l'érotisme. Jusqu'à la quarantaine, on se trompe, on ne sait pas se délivrer de l'amour : un homme qui pense, non à une femme comme au complément d'un sexe, mais au sexe comme au complément d'une femme, est mûr pour l'amour : tant pis pour lui...*

> *L'essentiel est de ne pas connaître la partenaire. Qu'elle soit : l'autre sexe.*

Par la suite, Claude se souvient d'une scène qu'il a vécue avec Perken dans un bordel de Djibouti dont on nous dira qu'elle « a abouti à un *fiasco* ». Ce passage est d'ailleurs particulièrement signifi-catif. Perken commence par expliquer qu'il a aban-donné l'action parce que, faute de mitrailleuses, elle était en tout cas vouée à l'échec, étant donné

l'impossibilité de résister à la pénétration de la
ligne de chemin de fer que le gouvernement du
Siam était en train de construire. Claude, un peu
sceptique, pense que la véritable raison de cet
abandon réside dans l'impuissance érotique dont
il a été témoin à Djibouti.

Perken, devinant sa pensée, lui objecte que si les
deux choses sont vraies et se juxtaposent, la raison
la plus profonde [1] de cet abandon est la prise de
conscience d'un événement autrement irrémédiable : le vieillissement qu'il a entrevu à travers cette
défaillance érotique mais dont en fait il s'était
rendu compte pour la première fois en regardant
Sarah, la compagne de sa vie :

> — *Ce sont seulement des réflexions qui vous ont séparé
> de votre projet ?*
> — *Je ne l'ai pas oublié : si l'occasion... Mais je ne
> peux plus vivre avant tout pour lui. J'y ai beaucoup
> songé après le fiasco du bordel de Djibouti aussi... Voyez-
> vous, je crois que ce qui m'en a séparé, comme vous dites,
> ce sont les femmes que j'ai manquées. Ce n'est pas l'impuis-
> sance, comprenez bien. Une menace... Comme la première
> fois que j'ai vu que Sarah vieillissait. La fin de quelque
> chose, surtout... je me sens vidé de mon espoir, avec une
> force qui monte en moi, contre moi — comme la faim.*

La même idée, à un autre endroit :

---

1. Les difficultés de l'action et la peur de l'impuissance existaient en
effet, pour Perken, Garine et Grabot également pendant les périodes
culminantes de l'action comme éléments constitutifs de celle-ci.

« ... *Tous pensent au fait de... ah! Comment vous faire comprendre... d'être tué, voilà. Ce qui n'a aucune importance. La mort, c'est autre chose : c'est le contraire. Vous êtes trop jeune. Je l'ai comprise d'abord en voyant vieillir une femme que... enfin une femme. (Je vous ai parlé de Sarah, d'ailleurs). Ensuite, comme si cet avertissement ne suffisait pas, quand je me suis trouvé impuissant pour la première fois...* »

Dans la même perspective, nous apprenons que Grabot n'arrivait à la jouissance érotique qu'en se faisant attacher et fouetter par des femmes, et qu'il en était terriblement humilié :

— Je vous ai parlé d'un homme qui se faisait attacher, nu, par des femmes, à Bangkok... C'était lui. Ce n'est pas tellement plus absurde que de prétendre coucher et vivre — et vivre — avec une autre créature humaine... Mais lui en est atrocement humilié...
— De ce qu'on le sache ?
— On ne le sait pas. De le faire. Alors, il compense. C'est sans doute pour cela surtout qu'il est venu ici... Le courage compense...

Ajoutons qu'au moment où il apprend que sa blessure est mortelle, Perken demandera « des femmes » et que s'il retrouve le sentiment de l'existence au moment de la possession, il sent bientôt à quel point celle-ci reste éphémère :

... ce corps affolé de soi-même s'éloignait de lui sans espoir ; jamais, jamais, il ne connaîtrait les sensations de cette femme, jamais il ne trouverait dans cette frénésie qui le secouait autre chose que la pire des séparations. On ne possède que ce qu'on aime. Pris par son mouvement

> (...) *il ferma lui aussi les yeux, se rejeta sur lui-même*
> *comme sur un poison, ivre d'anéantir, à force de violence,*
> *ce visage anonyme qui le chassait vers la mort.*

Un autre passage important et significatif est celui qui porte sur la distinction entre deux types humains que Malraux appelle parfois l'aventurier et le conquérant, mais auxquels Claude fait correspondre ici deux modalités de l'aventure : elle réside en ce que, tout en ayant en commun le mépris des conventions et de la société bourgeoise, les aventuriers pensent à eux-mêmes et au style du personnage qu'ils incarnent, alors que les conquérants sont engagés dans une lutte effective et subordonnent tout à la réussite d'une cause qui les dépasse :

> ... *Ce qu'ils appellent l'aventure, pensait-il,* n'est pas une fuite, c'est une chasse : *l'ordre du monde ne se* détruit pas au bénéfice du hasard, mais de la volonté d'en profiter. *Ceux pour qui l'aventure n'est que la* nourriture des rêves, *il les connaissait; (joue tu pourras rêver) ; l'élément suscitateur de tous les moyens de posséder l'espoir, il le connaissait aussi. Pauvretés...*

Parlant de Mayrena, Perken dira :

> « *Je pense que c'était un homme avide de jouer sa biographie, comme un acteur joue un rôle. Vous, Français, vous aimez ces hommes qui attachent plus d'importance à... voyons, oui... à bien jouer le rôle qu'à vaincre.* »

« Tout aventurier est né d'un mythomane », dira le capitaine à Claude, alors que Perken « est indifférent

au plaisir de jouer sa biographie, détaché du besoin
d'admirer ses actes ».

Et lorsqu'il évoque la différence entre Mayrena
et lui-même, Perken ajoute :

> « ... *J'ai tenté sérieusement ce que Mayrena a voulu
> tenter en se croyant sur la scène de vos théâtres. Être roi
> est idiot : ce qui compte, c'est de faire un royaume...* »

Dans ce même ordre d'idées, une grande place
est accordée à la figure du grand-père de Claude.
Celui-ci, sans s'engager pour quelque cause que ce
soit, a vécu isolé et indépendant, dans le mépris
de toutes les conventions sociales, mourant, à
soixante-treize ans, « d'une mort de vieux Viking »
et Claude, qui l'a beaucoup admiré, croit avoir
trouvé dans Perken un personnage apparenté.
Mais ce dernier précise :

> « *Je pense que votre grand-père était moins signifi-
> catif que vous le croyez, mais que vous l'êtes, vous, bien
> davantage.* »

Plusieurs passages sont consacrés à un autre
problème particulièrement significatif : celui du
suicide, qui avait déjà été effleuré dans *les Conquérants*, lors de l'assassinat de Tcheng-Daï par Hong,
assassinat camouflé par les partisans de la victime
en suicide idéologique. Klein avait alors exprimé
ses doutes sur la véracité de ce suicide « avec une

inexplicable véhémence », ne croyant pas à la possibilité d'un suicide idéologique.

> — *Le suicide ne m'intéresse pas.*
> — *Parce que ?*
> — *Celui qui se tue court après une image qu'il s'est*
> *formée de lui-même : on ne se tue jamais que pour* exister.
> *Je n'aime pas qu'on soit* dupe de Dieu.

Mais si le suicide n'est jamais considéré par le
conquérant comme un moyen de combat, sa
virtualité n'en reste pas moins un élément décisif
de sa conscience en tant que possibilité d'éviter
la déchéance d'une existence dans laquelle la
lutte et l'action seraient devenues impossibles.
L'imposture de Grabot réside précisément en ce
qu'il a voulu vivre et se comporter en conquérant
alors qu'au moment décisif il n'a pas eu le courage
de se tuer. Disons en passant que sa faiblesse était
déjà annoncée dans le paragraphe cité plus haut,
concernant ses rapports particuliers avec l'érotisme. A ce sujet, il y a dans le livre une scène
particulièrement significative : entouré par les
Stiengs, Claude envisage pour lui et Perken de se
tuer avec leurs dernières balles s'ils ne parviennent
pas à partir :

> *Il montra la place des balles dans le chargeur.*
> — *Il en restera toujours deux...*
> — *Ouais ?*
> *C'était Grabot. Une voix, une voix seule, pouvait*

donc à ce point exprimer la haine (...) Et il n'y avait
pas que la haine, il y avait aussi la certitude. Claude,
atterré, le regardait : (...) Une puissante ruine. Et il
avait été plus que courageux. Celui-là aussi pourrissait
sous l'Asie, comme les temples... (...) L'épouvante rôdait
auprès de lui, en cette seconde, autant qu'auprès des
Moïs.

    — *Bon Dieu, il n'est pourtant pas impossible de...*
    — *Con !...*
    Bien plus que l'injure et même que la voix, la tête
ravagée de Grabot disait : on ne peut pas quand c'est
inutile, et quand c'est nécessaire il arrive qu'on ne puisse
plus.

Pour terminer cette énumération, que nous
pourrions, bien entendu, prolonger considérablement, nous insisterons sur quelques passages de
la Voie royale concernant le sens de la vie, ainsi
que sur son dénouement analogue en tous points
à celui des *Conquérants.*

Pour Perken comme pour Garine, le sens de la
vie réside dans l'action en tant que seul et unique
moyen de surmonter la menace du néant, de
l'impuissance et surtout de la mort. Citons, à
titre d'exemple, ce dialogue avec Claude sur le
bateau, à un moment où, fatigué, Perken est décidé
à abandonner l'action :

    — *... Au fait, que veut dire arriver pour vous ?*
    — *Agir au lieu de rêver. Et pour vous ?*
    (...)
    — *Perdre du temps.*

(...)
— *Vous remontez chez les insoumis ?*
— *Ce n'est pas ce que j'appelle perdre mon temps, au contraire.*
(...)
— *Au contraire ?*
— *Là-haut, j'ai trouvé presque tout.*
— *Sauf de l'argent, n'est-ce pas ?*

Et à un autre endroit du livre :

— *Ce n'est pas moi qui opte: c'est ce qui résiste.*
— *Mais à quoi ?*
(...)
— A la conscience de la mort.
— *La vraie mort, c'est la déchéance.*
(...) Vieillir, c'est tellement plus grave! *Accepter son destin, sa fonction, la niche à chien élevée sur sa vie unique... On ne sait pas ce qu'est la mort quand on est jeune...*
Et, tout à coup, Claude découvrit ce qui le liait à cet homme qui l'avait accepté sans qu'il comprît bien pourquoi: l'obsession de la mort.

Ou encore :

Être tué, disparaître, peu lui importait : il ne tenait guère à lui-même, et il aurait ainsi trouvé son combat, à défaut de victoire. Mais accepter vivant *la vanité de son existence, comme un cancer,* vivre avec cette tiédeur de mort dans la main... *Qu'était ce besoin d'inconnu, cette destruction provisoire des rapports de prisonnier à maître, que ceux qui ne la connaissent pas nomment aventure, sinon sa défense contre elle ?* (...)

Se libérer de cette vie livrée à l'espoir *et aux songes, échapper à ce paquebot passif.*

Quant au dénouement, sa structure est homologue à celle des *Conquérants*, ce qui prouve à quel point Malraux tenait explicitement ou implicitement à faire comprendre à ses lecteurs les rapports entre la conscience de la mort et l'action dans la structure des personnages de Garine et Perken.

Isolé, seul face à la mort, Garine avait oublié celle-ci pour se retremper dans l'action pendant la brève période de l'interrogatoire des deux agents ennemis qui avaient tenté d'empoisonner les puits, pour retrouver, bien entendu par la suite, une fois l'épisode clos, la solitude radicale. La raison de cet épisode nous paraît évidente : il s'agit de faire comprendre au lecteur à quel point la participation à l'action, même lorsque cette action est de toute évidence provisoire, condamnée à ne durer que quelques instants, exclut par sa seule présence tout retour sur soi-même, toute pensée concentrée sur la maladie, la solitude, la mort.

De même, lorsque Perken conscient de sa mort imminente et de la vanité de toute tentative d'oubli dans l'érotisme, apprenant brusquement que *ses* tribus sont menacées par l'avance de la colonne gouvernementale, se replonge dans l'action, cette conscience perdra toute importance et jusqu'à toute réalité, bien qu'il se sache irrémédiablement condamné. Le texte le dit explicitement : Savan, chef d'une des tribus sauvages, voudrait différer le combat. Perken, qui s'entretient avec lui, s'adresse en français à Claude :

> « *Mais d'ici là... je serai peut-être mort.*
> *Saisissant accent, de nouveau, il croyait à sa vie.* »

A un autre moment, alors qu'ils sont menacés d'avoir la route coupée :

> — *Il y a des moments où j'ai l'impression que cette histoire n'a aucun intérêt, dit-il comme pour lui-même, entre ses dents.*
> — *D'être coupé ?*
> — *Non : la mort.*

Mais la maladie suit son chemin et la mort est inévitable ; Perken, obligé d'en prendre conscience, essaiera d'abord de la lier à l'action :

> — *... Saloperie de fièvre... Quand j'en sors, je voudrais au moins... Claude ?*
> — *Je t'écoute, voyons.*
> — *Il faudrait que ma mort au moins les oblige à être libres.*
> — *Qu'est-ce que ça peut te faire ?*
> *Perken avait fermé les yeux : impossible de se faire comprendre d'un vivant.*

Par la suite, avec le progrès de la maladie, l'action s'estompe pour ne laisser place qu'à la solitude ; Perken voudrait encore arriver chez

lui, mourir là où son existence avait trouvé sa
signification, même si cette signification lui est
devenue étrangère :

> ... *il savait à la fois que, chez lui, il guérirait, et qu'il*
> *allait mourir, que sur la grappe d'espoirs qu'il était,*
> *le monde se refermerait, bouclé par ce chemin de fer*
> *comme par une corde de prisonnier ; que rien dans l'uni-*
> *vers, jamais, ne compenserait plus ses souffrances passées*
> *ni ses souffrances présentes : être un homme, plus absurde*
> *encore qu'être un mourant...*

Il mourra cependant dans le monde de l'absurde
et du néant, devenu étranger à tout ce qui l'entoure, y compris à Claude et à son propre corps :

> ... *A côté de lui, Claude qui allait vivre, qui croyait*
> *à la vie comme d'autres croient que les bourreaux*
> *qui vous torturent sont des hommes : haïssables. Seul.*
> *Seul avec la fièvre qui le parcourait de la tête au genou,*
> *et cette chose fidèle posée sur sa cuisse : sa main.*
>
> ... Rien ne donnerait jamais un sens à sa vie, *pas*
> *même cette exaltation qui le jetait en proie au soleil.*
> *Il y avait des hommes sur la terre, et ils croyaient à leurs*
> *passions, à leurs douleurs, à leur existence. (...) Et pour-*
> *tant, aucun homme n'était mort, jamais : ils avaient*
> *passé comme les nuages qui tout à l'heure se résorbaient*
> *dans le ciel, comme la forêt, comme les temples ; lui seul*
> *allait mourir, être arraché.*
> « ...Il n'y a pas... de mort... il y a seulement... moi...
> (...)
> ...moi... qui vais mourir... »
> *Claude se souvint, haineusement, de la phrase de son*
> *enfance : « Seigneur, assistez-nous dans notre agonie... »*
> *Exprimer par les mains et les yeux, sinon par les paroles,*

cette fraternité désespérée qui le jetait hors de lui-même!
Il l'étreignit aux épaules.
Perken regardait ce témoin, étranger comme un être
d'un autre monde.

A propos des *Conquérants*, nous possédons deux
documents intéressants, non seulement par la
personnalité exceptionnelle de leurs auteurs,
Trotsky et Malraux, et par les problèmes qu'ils
posent, celui de la stratégie révolutionnaire et
celui des relations entre la politique et la littérature, mais encore parce qu'il est très possible
que cette discussion ait joué un rôle primordial
dans l'évolution qui a mené Malraux des *Conqué-*
rants et de *la Voie royale* à la 'ondition humaine*,
puisque, aussi bien, dans ce troisième roman,
la perspective trotskyste occupe une place considérable.

Trotsky, qui avait lu *les Conquérants* avec
deux ans de retard, y avait vu avant tout un document politique plus ou moins important et avait
envoyé à la N.R.F. un article où il jugeait l'ouvrage
dans cette perspective. On imagine difficilement
un manque aussi prononcé de compréhension
pour l'aspect littéraire de l'œuvre. Dès le début
de l'article, après avoir constaté que Garine est
le porte-parole de Malraux, il écrira en effet
que « le livre s'intitule un roman ». « En fait,

— souligne-t-il, — nous sommes en face de la chronique romancée de la révolution chinoise dans sa première période, celle de Canton. » A un autre endroit, il parle du « roman » de Malraux en prenant soin de mettre le mot entre guillemets. Tout ceci indique à quel point, enfermé dans sa perspective d'homme politique, Trotsky passe à côté de la structure proprement littéraire de l'ouvrage, qui est effectivement un roman *sans guillemets* et dont le héros est Garine et non pas la révolution.

A partir de là, dans la perspective qui est la sienne et qu'on connaît par ailleurs, celle du prolétariat révolutionnaire qui doit s'engager dans une politique *offensive* opposée à tous les compromis et à toutes les forces politiques de la bourgeoisie, Trotsky développera sa critique en l'axant sur la description qu'a donnée Malraux de la révolution chinoise. La situation en Chine lui apparaît comme analogue à la situation révolutionnaire qui s'était développée en Russie en octobre 1917. Remarquons en passant qu'il reproche à Malraux entre autres choses d'avoir fait de Borodine un révolutionnaire alors qu'en réalité Borodine n'était qu'un bureaucrate du Komintern qui n'avait participé ni à la révolution de 1905 ni à celle de 1917 (nous rappelons cela car dans *la Condition humaine,* Borodine apparaîtra effectivement comme un simple bureaucrate du parti).

La réponse de Malraux, beaucoup plus brève, se divise en deux parties et se situe sur deux plans différents. Dans la première, il explique à juste titre à Trotsky que son ouvrage est un roman et non pas une chronique de la révolution :

> ... *Ce livre n'est pas une « chronique romancée » de la révolution chinoise parce que l'accent principal est mis sur le rapport entre* des individus et une action collective, *non sur l'action collective seule.*

Il va donc traiter séparément ce qui, dans la critique de Trotsky, « naît des conditions de la fiction », c'est-à-dire provient de la nécessité de résoudre un problème esthétique que Trotsky n'avait pas même aperçu. Dans ce domaine se situe en premier lieu le personnage de Borodine qui, bureaucrate peut-être dans la perspective de Trotsky, apparaît comme un révolutionnaire professionnel dans celle de Garine et de tout son entourage. Bref, « l'optique du roman domine le roman ». Mais, ceci dit, et puisque aussi bien Trotsky reconnaît aux personnages « la valeur de symboles sociaux », Malraux aborde aussi « la discussion de l'essentiel », c'est-à-dire des problèmes politiques posés par Trotsky.

Cette seconde partie de la réponse est une

défense, respectueuse sans doute mais très éner-
gique, de la politique de l'Internationale. Trotsky
confond en effet la situation en Chine et dans le
monde avec celle de 1917 en Russie. Si la tactique
offensive était parfaitement justifiée dans une
situation de force, une situation de faiblesse exige
au contraire une tactique défensive, telle qu'a
été effectivement celle de l'Internationale Communiste au moment où se déroulèrent les événements décrits par *les Conquérants*. Sur ce point,
il faut remarquer que si, dans la première partie
qui concernait les problèmes esthétiques et littéraires, Malraux avait entièrement raison contre
Trotsky, lequel passait à côté de l'essentiel, il a
sans doute aussi raison, en partie, lorsqu'il aborde
des problèmes politiques. La grande différence
entre la politique préconisée par Trotsky et celle
qui a été choisie et imposée par l'Internationale
Communiste était effectivement la différence
entre une politique offensive et une politique
défensive correspondant, l'une, à une appréciation optimiste, l'autre, à une appréciation pessi-
miste des rapports de forces en présence. Mais
Malraux décrit la politique de l'Internationale
comme s'il s'agissait seulement d'une appréciation
particulière de la situation en Chine et du problème
d'une temporisation *provisoire*, destinée à per-

mettre un rassemblement de forces en vue d'une
nouvelle offensive, alors qu'en réalité, l'opposition
entre le trotskysme et la politique de l'Internationale, — qui est devenue par la suite la politique
stalinienne, — était beaucoup plus profonde et
avait un caractère international. Les formules
mêmes employées par les deux groupes antagonistes l'expriment assez clairement. Les uns et les
autres ont conçu l'opposition entre offensive et
défensive comme importante sans doute, mais
dérivée d'une autre opposition beaucoup plus
profonde : celle entre les stratégies de la « révolution permanente » et du « socialisme dans un
seul pays ».

Trotsky savait que le rapport des forces n'était
pas toujours favorable à la révolution, mais il
pensait que la société socialiste ne saurait être
construite dans un pays arriéré comme la Russie
sans être étayée par une révolution internationale,
et il voyait dans la politique qu'il préconisait
l'unique espoir de renforcer les chances de réussite
de la révolution et de survie du socialisme en
U.R.S.S.

La direction de l'Internationale, par contre,
partait de l'idée que l'essentiel était de conserver
le bastion soviétique déjà établi et qu'étant
donné le rapport défavorable de forces né de la

stabilisation du capitalisme (on parlait alors de
« stabilisation relative »), tout mouvement révolutionnaire risquait, s'il ne s'étendait pas à une
partie importante du monde et s'il n'était pas
victorieux, de créer une coalition internationale
antisoviétique et de mettre en danger l'existence
même de l'U.R.S.S. C'est à partir de là que se
sont développées les différentes étapes de la
politique défensive, depuis la période stalino-
boukharinienne pendant laquelle on misait encore
sur l'alliance avec les forces démocratiques et
pseudo-démocratiques (en Chine avec le Kuomintang et implicitement avec Tchang Kaï-Chek),
jusqu'à la période stalinienne où l'on préconisa
une politique défensive absolue qui conduisit
au pacte de non-agression avec l'Allemagne hitlé-
rienne de 1939, et qui impliquait l'emploi de
l'appareil de l'Internationale et des partis communistes contre tout risque de développement et
d'approfondissement du mouvement révolutionnaire dans les différents pays du monde.

Si nous avons abordé ici ces problèmes, c'est
qu'ils nous paraissent présenter une importance
capitale pour la compréhension du roman suivant
de Malraux, *la Condition humaine*, dont nous
abordons maintenant l'étude et qui a pour sujet
la révolution chinoise et, à l'intérieur de celle-ci,

le conflit entre, d'une part, le groupe des révolutionnaires de Shangaï et, d'autre part, la direction
du Parti et de l'Internationale qui leur demande
de ne pas résister à Tchang Kaï-Chek, et entre
les deux valeurs incarnées par ces forces : la valeur
trotskysante de la *communauté révolutionnaire*
immédiate et la valeur stalinienne de la *discipline* [1].

Paru après *les Conquérants* et *la Voie royale*,
ce troisième roman de Malraux aura un retentisse-
ment énorme et le rendra célèbre dans le monde
entier.

Bien qu'il s'agisse encore d'un des romans que
nous avons appelés « de transition » (entre le
roman à héros problématique et le roman sans

---

1. « Trotskysante » et « stalinienne » non pas dans l'absolu, Trotsky
n'ayant jamais nié la valeur de la discipline non plus que les staliniens
celles de la communauté révolutionnaire, mais dans la mesure où
chacune des deux tendances affirmait, pour les raisons politiques
que nous avons esquissées, la priorité d'une de ces valeurs par rapport
à l'autre.

Dans *la Condition humaine*, Malraux ne prend pas parti et se contente
d'indiquer les arguments qui plaident en faveur de l'une et de l'autre
de ces valeurs et les conséquences de leur prédominance respective,
mais il est visible que ses sympathies vont aux révolutionnaires de
Shangaï. Par contre dans *l'Espoir* — bien qu'en réalité les problèmes
qui se posaient en Espagne aient été apparentés à ceux qu'il avait
décrits en Chine — le conflit entre la discipline et la volonté de développer la révolution disparaît entièrement, l'ouvrage étant uniquement
centré sur la valeur exclusive de la première conçue comme problème
militaire et non pas politique.

personnage), et bien que le sujet soit encore, comme dans *les Conquérants*, la révolution chinoise, l'univers de *la Condition humaine* est, par rapport aux deux romans précédents, entièrement différent.

L'auteur a-t-il été influencé par sa discussion avec Trotsky ? Voilà qui est, bien entendu, impossible à établir avec certitude. Il n'en reste pas moins que l'ouvrage est par certains côtés — mais par *certains côtés seulement* — assez proche de la perspective trotskyenne.

Mais si importante qu'y soit la « chronique de la révolution » (et elle est beaucoup plus importante dans *la Condition humaine* que dans *les Conquérants*), elle reste, en dernière instance, secondaire pour une analyse structuraliste ou même simplement littéraire. La véritable nouveauté du livre réside dans le fait que, par rapport aux univers de *la Voie royale* et des *Conquérants*, qui étaient régis par le problème de la réalisation individuelle des héros, l'univers de *la Condition humaine* est régi par de tout autres lois et surtout par une valeur différente : *celle de la communauté révolutionnaire.*

Abordons d'emblée l'essentiel : roman dans le sens le plus strict du mot, *la Condition humaine* comporte un héros problématique, mais, roman de transition, elle nous décrit, non pas un individu, mais un *personnage problématique collectif :* la communauté des révolutionnaires de Shangaï représentée dans le récit en premier lieu par trois personnages individuels : Kyo, Katow et May, mais aussi par Hemmelrich et par tous les militants anonymes dont nous les savons entourés *.

* Il nous paraît cependant important de souligner qu'en passant de l'individu à la communauté, le caractère problématique du héros romanesque change, jusqu'à un certain point, de nature ; les problèmes individuels de Kyo, May et Katow sont résolus en effet, dans *la Condition humaine* et leur vie est entièrement significative ; c'est l'action du groupe tout entier, par contre, qui est problématique en raison de son attachement aux valeurs contradictoires de l'action révolutionnaire immédiate qui crée la communauté et de la discipline à l'intérieur de l'Internationale, et de l'impossibilité de conceptualiser la contradiction qui en découle.

Il en résulte, entre autres choses, un changement important dans le dénouement : il n'y a plus, en effet, dans *la Condition humaine*, de « conversion », de prise de conscience du caractère provisoire ou problé_matique de la recherche antérieure. Le dénouement ici est une intensification au maximum de la situation qui caractérise tout le récit : apothéose des individus, échec total de l'action extérieure du groupe, tout au moins sur le plan immédiat (l'avenir qui se dessine dans les dernières pages est non seulement, comme nous le montrerons, surajouté, mais de plus c'est l'avenir d'une communauté autre que celle du groupe des révolutionnaires de Shangaï).

Une autre précision s'est avérée nécessaire dans la discussion de ce texte entre les chercheurs de Bruxelles.

Si, en effet, dans la structure de *la Condition humaine* le héros est constitué par le groupe des révolutionnaires de Shangaï, le monde l'est non seulement par Tchang Kaï-Chek, Ferral et les forces explicitement et consciemment contre-révolutionnaires, mais aussi par la direction communiste de Han-Kéou qui, subjectivement révolutionnaire, favorise objectivement dans ce temps limité qui constitue

Héros *collectif* et *problématique;* ce dernier
trait, qui fait de *la Condition humaine* un véritable roman, provient du fait que les révolutionnaires de Shangaï sont attachés à deux exigences
à la fois essentielles et, dans l'univers du roman,
contradictoires : d'une part, l'approfondissement et le développement de la révolution et,
d'autre part, la discipline envers le parti et l'Internationale.

Or, parti et Internationale, engagés dans une
politique purement défensive, sont rigoureusement
opposés à toute action révolutionnaire dans la ville,
retirent les troupes qui leur sont fidèles et exigent
la remise des armes à Tchang Kaï-Chek bien que,
de toute évidence, celui-ci se prépare à massacrer
les dirigeants et les militants communistes [1].

Dans ces conditions, il est inévitable que les
militants de Shangaï s'orientent droit vers la défaite
et le massacre.

l'action du roman, l'échec des révolutionnaires de Shangaï et la victoire
de Tchang Kaï-Chek.

Quant au lien qui réunit dans le récit le groupe de Shangaï et la
direction de Han-Kéou en tant que groupes communistes opposés
à l'oppression capitaliste, il constitue précisément cette relation dialectique entre le héros et le monde que Lukács a si bien décrite et qui
rend possible la structure romanesque.

1. En dernière instance, devant la résistance des militants de Shangaï,
le parti admettra seulement qu'on enterre les armes qui n'ont pas
encore été remises.

On voit pourquoi, dans la mesure où le livre est *aussi* une « chronique de la révolution », sa perspective se trouve *assez proche* de la pensée oppositionnelle. Écrit dans la perspective de Kyo, May, Katow et de leurs camarades, il met implicitement l'accent sur le sabotage de leur combat par la direction du parti, et sur la responsabilité de cette direction dans la défaite, le massacre, et la torture des militants [1].

Dans ce cadre, la valeur qui régit l'univers de *la Condition humaine* est celle de la *communauté*, laquelle ne saurait être en l'espèce que la *communauté du combat révolutionnaire.*

Le monde où se déroule l'action étant le même que celui des *Conquérants*, les personnages — à peu de chose près — sont nécessairement les mêmes bien qu'ils soient vus sous un autre angle. Aussi, pour mieux les mettre en lumière, ne serait-il pas inutile de les analyser tour à tour en

---

1. Il faut cependant souligner que, sur le plan conceptuel, Malraux ne suit pas la position de Trotsky et de l'opposition qui parlaient de « trahison » de la bureaucratie, puisqu'il voit dans l'attitude de l'Internationale — comme le soutenait d'ailleurs explicitement celle-ci — une *tactique* provisoire à propos du caractère juste et erroné de laquelle il laisse la discussion ouverte. En outre, la dernière partie du roman défend la position « officielle » du « socialisme dans un seul pays » et indique que la construction de l'U. R. S. S. et la lutte ultérieure du parti communiste intègrent et continuent le combat des militants de Shangaï.

situant chacun d'eux par rapport au personnage
correspondant du roman précédent.

· Nous commencerons, bien entendu, par le personnage principal : le groupe des révolutionnaires.
Dans *les Conquérants*, il était personnifié par Borodine [1]. La différence saute aux yeux mais elle se
justifie par la différence de perspective.

Vu par l'individualiste Garine, le révolutionnaire
ne saurait être qu'*un individu* dont le trait distinctif est le fait qu'il est non seulement lié étroitement
au prolétariat et à l'organisation qui dirige la révolution, mais encore qu'il va jusqu'à s'identifier avec
ce prolétariat et avec cette révolution, alors que,
vu de l'intérieur, ce trait distinctif est précisément
ce qui transforme l'individu en communauté. Aussi
l'histoire que raconte *la Condition humaine* est-elle
non seulement celle de l'action de Kyo, May,
Katow et leurs camarades, l'histoire de leur défaite
et de leur mort, mais aussi, étroitement liée à cette
action, l'histoire de leur communauté qui est une
réalité psychique, vivante et dynamique.

---

1. Borodine lui-même apparaît dans *la Condition humaine* mais
il s'agit d'un tout autre personnage que celui des *Conquérants*. Il est
maintenant le dirigeant de l'Internationale communiste, le bureaucrate tel que l'avait vu Trotsky, et n'a de commun que le nom avec le
militant étroitement lié à la révolution des *Conquérants*, l'homologue
de celui-ci étant représenté dans *la Condition humaine*, ainsi que nous
venons de le dire, par les militants de Shangaï.

Autour d'eux, si nous laissons de côté des figures épisodiques, nous rencontrons quatre personnages qui ne s'intègrent à aucune autre communauté et restent des individus plus ou moins isolés : un allié, le terroriste chinois Tchen, un ennemi, Ferral, et deux personnages intermédiaires, Clappique et Gisors.

Nous venons d'écrire « un *allié*, le terroriste chinois Tchen », alors que, dans *les Conquérants*, Hong restait malgré tout un *ennemi* que Garine — en dépit de toute sa sympathie et de toute sa compréhension — devait finir par faire exécuter. La différence provient du fait que, loin d'être l'homologue de Hong, Tchen est un mélange de ce dernier et de Garine, mélange dans lequel les éléments apparentés à ceux qui constituaient la personnalité de Garine sont prédominants. Cela s'explique et se justifie d'ailleurs par la même différence de perspective. Vue avec les yeux de Garine, la différence entre lui et Hong était considérable. Ce dernier, en effet, a une attitude abstraite, étrangère à tout souci d'efficacité, alors que Garine ne saurait trouver le sens — précaire et provisoire — de son existence que dans une action révolutionnaire entièrement subordonnée à l'*efficacité* du combat.

Dans la perspective de Borodine, cependant,

cette différence perd beaucoup de son importance, Hong et Garine se ressemblent dans la mesure où ils sont l'un et l'autre des individus qui, ennemis déclarés et actifs de la bourgeoisie, ne s'identifient pas, néanmoins, avec la révolution.

Du côté des adversaires de la révolution, un seul personnage est réellement présent dans le roman : Ferral, qui dirige un consortium industriel, participe au renversement des alliances de Tchang Kaï-Chek et organise l'entente entre ce dernier et la bourgeoisie de Shangaï. C'est un personnage du type *conquérant* mais, naturellement, un conquérant beaucoup plus superficiel que Garine et Perken puisque au lieu de se rallier à la révolution, il s'est engagé du côté des fausses valeurs, de ce qui, dans le roman, incarne le mal et le mensonge. En fait, il représente bel et bien un des risques auxquels est exposé ce type humain, risque qui avait été évoqué dans *les Conquérants* par Nikolaïev lorsqu'il suggérait au narrateur que Garine aurait pu devenir « mussolinien ».

Enfin, entre les révolutionnaires et la réaction, deux personnages occupent dans le roman une place assez importante : Gisors, le père de Kyo, et Clappique. Ce dernier est une vieille connaissance qui avait cependant disparu dans les deux précédents romans de Malraux : il personnifie les aéros-

tats et les péchés capitaux de *Lunes en Papier*,
l'homme qui vit dans l'imaginaire ; l'artiste non
conformiste, le pitre. Encore faut-il préciser qu'au
moment où il écrit *la Condition humaine*, Malraux
éprouve beaucoup plus de sympathie pour lui que
jadis, à l'époque de *Lunes en Papier*. Cela aussi
s'explique d'ailleurs : dans *Lunes en Papier*, il
s'agissait de démasquer des gens qui prétendaient
être les seuls révolutionnaires valables dans un
monde où il n'y avait aucune place pour l'espoir,
alors que maintenant Clappique, entre les révolutionnaires d'une part, et Tchang Kaï-Chek ou
Ferral de l'autre, fait plus ou moins figure de
mouche du coche. Il faut néanmoins rendre hom-
mage à l'écrivain qui, malgré sa sympathie pour
Clappique, a impitoyablement mis en lumière le fait
que son attitude détachée de la réalité peut être
tout aussi bien utile que néfaste, voire fatale, aux
révolutionnaires qui mènent le combat pour les
valeurs authentiques.

Gisors enfin incarne la vieille culture chinoise,
en dernière instance étrangère à toute violence
réactionnaire ou révolutionnaire. Au fond, par rapport aux *Conquérants*, il correspond à Tcheng-Daï.
Mais, pour être réelle, cette correspondance ne
laisse pas d'être plus complexe et plus médiatisée
que dans le cas des autres personnages. Tcheng-Daï

s'opposait par principe à la violence révolutionnaire, Gisors est au contraire lié à la révolution
non pas directement — pour des raisons idéologiques — mais par attachement pour son fils [1] qui
y est engagé corps et âme. Or il nous semble que ce
sont là deux aspects *complémentaires* de la vieille
Chine et qu'il ne serait pas impossible d'imaginer
Gisors dans *les Conquérants* et Tcheng-Daï dans *la
Condition humaine*. Il n'en est pas moins vrai qu'il
existe une raison structurale qui plaide en faveur
de la solution adoptée par Malraux : *les Conquérants* racontent en effet la victoire de la révolution,
la Condition humaine, sa défaite ; or il est de l'essence des Gisors et des Tcheng-Daï de s'opposer
à la violence triomphante et de se trouver, de
manière fort peu efficace sans doute, du côté des
vaincus.

L'intrigue du roman, bien que poignante et
tragique, est assez simple :

Devant l'avance de l'armée du Kuomintang (dont
font *encore* partie à la fois Tchang Kaï-Chek et le
parti communiste chinois) l'organisation clandestine des communistes de Shangaï, appuyée par les
syndicats, prépare l'insurrection à la fois pour
faciliter la victoire des assaillants et pour s'assurer

---

1. Rappelons que dans *les Conquérants*, Tcheng-Daï parlait aussi
des *fils* de ses amis qu'il avait incités à entrer à l'École des Cadets.

la direction du mouvement *après* la victoire. En fait, entre Tchang Kaï-Chek et les communistes, le conflit est devenu de plus en plus aigu dans la mesure même où la victoire du Kuomintang devenait imminente. Unis dans la lutte contre un ennemi commun ils vont avoir en effet à résoudre maintenant le problème de la structure sociale et politique de la Chine nouvelle que la défaite de cet ennemi fait passer au premier plan.

Une partie importante des militants de base du parti communiste chinois, et, parmi eux, les révolutionnaires de Shangaï, organisent les paysans et les syndicats en promettant aux premiers la réforforme agraire et aux seconds la prise du pouvoir dans les villes. Pour leur résister et garder la main haute sur le Kuomintang, Tchang Kaï-Chek prépare l'alliance avec ses anciens ennemis, la rupture avec les communistes et le massacre des militants. La direction de l'Internationale et le parti communiste chinois, se jugeant trop faibles pour engager la lutte, décident d'interdire toute action révolutionnaire et de laisser la voie libre à Tchang Kaï-Chek, dans l'espoir que cette attitude timorée incitera celui-ci à estimer la répression inutile et à différer le renversement des alliances.

Les militants de Shangaï, déjà pleinement engagés dans l'action, sont, quant à eux, convaincus

à juste titre du contraire. Pour des raisons maté-
rielles aussi bien qu'idéologiques, ils ne peuvent
pas, néanmoins, agir isolément et en opposition
avec la direction du parti. Aussi ne leur reste-t-il
d'autre issue que de se laisser vaincre et massacrer.
Le roman raconte leur action à la veille de l'entrée
du Kuomintang à Shangaï, leur réaction au moment où ils apprennent les décisions de la direction du parti, leur défaite après l'entrée de Tchang
Kaï-Chek, et, enfin, la torture et le massacre de
communistes par celui-ci, massacre dans lequel
seront tués, parmi beaucoup d'autres, deux des
trois héros du roman : Kyo et Katow.

L'ouvrage commence par une scène célèbre :
l'assassinat par Tchen d'un trafiquant d'armes,
ou, plus précisément, d'un courtier afin de lui
prendre le document qui permettra aux révolutionnaires de s'emparer d'un certain nombre de
pistolets. Assassinat dont le caractère indique
d'emblée la différence entre Tchen et Hong : sur
le plan psychologique cet assassinat est un acte
terroriste qui permettra à Tchen de prendre conscience de ses problèmes individuels ; sur le plan
matériel, c'est un acte ordonné par l'*organisation*
révolutionnaire et qui fait partie par conséquent
d'une action *organisée*. Un passage du livre indique
à la fois l'importance de cet assassinat pour la

lutte collective et la signification particulière qu'il revêt pour Tchen :

> *... L'insurrection imminente qui voulait donner Shangaï aux troupes révolutionnaires ne possédait pas deux cents fusils. Qu'elle possédât les pistolets à crosse (presque trois cents) dont cet intermédiaire, le mort, venait de négocier la vente avec le gouvernement, et* les insurgés, *dont le premier acte devait être de désarmer la police pour armer leurs troupes,* doublaient leurs chances. Mais depuis dix minutes Tchen n'y avait pas pensé une seule fois.

Le meurtre accompli, Tchen, pour descendre, est obligé de traverser un hôtel, où la vie continue son train habituel. L'épisode donne lieu à une description remarquable de l'opposition entre deux mondes qualitativement différents : celui de l'action révolutionnaire et celui de la vie quotidienne, indifférente aux idées et à la politique. Dans *la Condition humaine*, cette opposition sert à indiquer la conscience que prend Tchen de la différence entre le monde de l'action terroriste auquel il appartient et celui de « la vie des hommes qui ne tuent pas ». Quelques années plus tard, dans *les Noyers de l'Altenburg*, Malraux reprendra une description analogue pour indiquer la découverte par Victor Berger, à Marseille, au moment où il abandonne la lutte pour la victoire du *Touranisme* (nous croyons, bien entendu, qu'il faut lire « Communisme »), de l'existence du monde de la vie quotidienne indifférent aux idées et à l'action, auquel malgré sa disponibilité il n'arrive pas à s'intégrer. Tchen, rencontrant dans l'ascenseur un « *Birman ou Siamois un peu saoul* » qui lui dit que « *la dancing-girl en rouge est épatante* » eut envie, nous indique Malraux, « *à la fois de le gifler pour le faire taire, et de l'étreindre parce qu'il était vivant* ». Mais si, dans *les Noyers de l'Altenburg*, seule l'opposition entre les deux mondes, celui de l'action et celui de la vie quotidienne, est soulignée, dans *la Condition humaine*, au monde de la vie quotidienne indifférente à la politique et à celui de l'action terroriste qui isole, s'ajoute et s'oppose un troisième dont le devenir constitue le sujet essentiel du roman : celui de la communauté révolutionnaire, auquel l'action de Tchen appartient en partie et dont la fonction et le but sont précisément d'intégrer les deux autres. Après l'assassinat de l'intermédiaire et la traversée de l'hôtel plein de fêtards indifférents, Tchen retrouve ses camarades :

> *Leur présence arrachait Tchen à sa terrible solitude, doucement, comme une plante que l'on tire de la terre où ses racines les plus fines la retiennent encore. Et en même temps que, peu à peu, il venait à eux, il semblait qu'il les découvrît — comme sa sœur la première fois qu'il était revenu d'une maison de prostitution...*

Nous avons dit que Tchen correspond beaucoup plus au personnage de Garine qu'à celui de Hong et qu'il est, en dernière instance, une synthèse des deux. Comme pour Hong, son premier assassinat sera une ivresse, un tournant décisif dans sa vie. Comme Garine cependant, il retrouvera après l'assassinat l'organisation des militants révolutionnaires que Hong, lui, n'avait plus retrouvée, et il n'agira jamais, tout au long du roman, en opposition avec elle. Comme Garine aussi, il s'insère dans la lutte collective mais ne s'identifie pas avec elle [1].

1. Il le dira d'ailleurs au cours de la conversation qu'il aura par la suite avec le vieux Gisors, son père spirituel :

— Je suis extraordinairement seul, dit-il, regardant enfin Gisors en face.

Celui-ci était troublé. (...) Ce qu'il ne comprenait pas, c'était que Tchen, qui avait sans doute revu les siens cette nuit, puisqu'il venait de revoir Kyo, semblât si loin d'eux.

— Mais les autres ? demanda-t-il.

(...)

— Ils ne savent pas.

— Que c'est toi ?

— Cela ils le savent : aucune importance. (...) Que c'est la première fois. (...) Vous n'avez jamais tué personne, n'est-ce pas ?

La même conversation souligne encore une autre parenté avec Garine. La première femme avec laquelle il a couché était une prostituée (May dira à un autre endroit du livre que Tchen «a horreur de l'amour»). La nature de ses relations avec les prostituées avec lesquelles il couche est une synthèse de domination et de solidarité :

— Qu'as-tu éprouvé, après ? demanda Gisors.

(...)

— De l'orgueil.

— D'être un homme ?

— De ne pas être une femme.

Ayant rejoint, après l'assassinat, le groupe des révolutionnaires, Tchen y rencontre, parmi d'autres camarades, deux personnages qui sont au centre du roman, non pas en tant qu'individus, mais en tant que représentants du groupe tout entier, de la communauté révolutionnaire : Katow et Kyo.

Ce qui caractérise l'un et l'autre, c'est leur engagement total dans l'action. Dans le livre, Katow ne sera vu que comme militant dans le combat, au moment de son arrestation, puis de son exécution. Kyo, par contre, sera vu également dans sa vie privée, dans ses relations avec May, mais ce n'est

Sa voix n'exprimait plus la rancune mais un mépris complexe.

*— Je pense que vous voulez dire, reprit-il, que j'ai dû me sentir...
séparé ?*

*(...) Oui. Terriblement. Et vous avez raison de parler de femmes.
Peut-être méprise-t-on beaucoup celui qu'on tue. Mais moins que les
autres.*

(...)

— Que ceux qui ne tuent pas ?

— Que ceux qui ne tuent pas : les puceaux.

De même, beaucoup plus qu'un Chinois, il est avant tout comme Garine un intellectuel, un homme dont la vie est structurée par une idée.

— Je suis chinois, répondit Tchen avec rancune.

« *Non, pensa Gisors. Sauf, peut-être, par sa sexualité. Tchen n'était
pas chinois. Les émigrés de tous pays dont regorgeait Shangaï avaient
montré à Gisors combien l'homme se sépare de sa nation de façon nationale, mais Tchen n'appartenait plus à la Chine, même par la façon
dont il l'avait quittée : une liberté totale, quasi inhumaine, le livrait
totalement aux idées.* »

pas là l'adjonction d'un domaine nouveau et différent, car May et Kyo sont caractérisés par la
synthèse organique de leur vie publique et de leur
vie privée, ou, pour employer l'expression de
Lukács, par la synthèse totale de l'individu et du
citoyen ; et précisément parce que, dans la vie
courante, cette synthèse — qui n'existait pas non
plus dans les écrits antérieurs de Malraux — est
extrêmement rare, il importait de souligner à quel
point la pensée et la conscience de Kyo sont *entièrement* engagées dans l'action. Aussi Malraux nous
dira-t-il à plusieurs reprises que toute réflexion
de Kyo était organiquement structurée par le
combat imminent.

Au moment où, ayant décidé l'attaque du bateau
pour enlever les pistolets, il entre dans le quartier
chinois :

> « *Un bon quartier* », *pensa Kyo. Depuis plus d'un
> mois que, de comité en comité, il préparait l'insurrection,
> il avait cessé de voir les rues : il ne marchait plus dans
> la boue, mais sur un plan. (...) Au tournant d'une ruelle,
> son regard tout à coup s'engouffra dans la profondeur
> des lumières d'une large rue; bien que voilée par la pluie
> battante, elle conservait dans son esprit sa perspective,
> car il faudrait l'attaquer contre des fusils, des mitrail-
> leuses, qui tireraient de toute sa profondeur...*

de même, au moment où, ayant traversé le quartier
chinois, il atteint les grilles de la concession :

> *Deux tirailleurs annamites et un sergent de la colo-*
> *niale vinrent examiner ses papiers : il avait son passeport*
> *français. Pour tenter le poste, un marchand avait accroché*
> *des petits pâtés aux pointes des barbelés. (« Bon système*
> *pour empoisonner un poste, éventuellement », pensa*
> *Kyo.)*

A l'intérieur de la concession, il cherche Clappique. Celui-ci, nous l'avons déjà dit, ne vit pas
dans la réalité mais dans l'imaginaire. Cela est
exprimé entre autres par son aspect extérieur :

> *De quelque façon qu'il fût habillé — il portait un smo-*
> *king ce soir — le baron de Clappique avait l'air déguisé.*

Il le trouve occupé à tracer, à l'intention de deux
entraîneuses, le dessin imaginaire de l'entrée de
Tchang Kaï-Chek. Comment se conçoit-il à l'intérieur de ce tableau ?

> *— Et vous, que ferez-vous là-dedans ?*
> *Plaintif, sanglotant :*
> *— Comment, chère amie, vous ne le devinez pas ?*
> *Je serai astrologue de la cour, je mourrai en allant cueillir*
> *la lune dans un étang, un soir que je serai saoul — ce*
> *soir ?*

Nous reviendrons plus loin aux deux autres
personnages qu'il nous reste à caractériser : Gisors
et Ferral.

Ce qui définit *la Condition humaine* par rapport
aux romans antérieurs, c'est tout d'abord l'absence
de l'élément qui était le plus important dans ceux-

ci, la principale caractéristique de Garine, Perken
et même Borodine : la maladie. Celle-ci existe, bien
entendu, dans *la Condition humaine*, mais uniquement dans la mesure où l'ouvrage a *aussi* un aspect
de chronique sociale : maladie des enfants du
peuple, conséquences du suicide raté d'une femme
qui a voulu mourir pour éviter d'épouser un vieillard riche, etc. Quant aux héros, militants révolutionnaires, ils peuvent être massacrés, torturés,
ils n'en restent pas moins essentiellement sains ;
ils vont même jusqu'à définir, par leur existence,
le sommet de la condition humaine et, par là,
le sommet de la santé. S'il y a maladie, elle concerne
non pas les individus, mais bien la collectivité
révolutionnaire qui est le véritable héros du roman
et dont nous avons déjà dit le caractère problématique. Quant à la psychologie de cette communauté,
faute de pouvoir l'étudier pas à pas, nous l'aborderons en deux occasions particulièrement importantes : l'amour et la mort, les relations entre Kyo
et May d'une part, et la torture, l'exécution des
révolutionnaires au moment de la victoire de
Tchang Kaï-Chek, d'autre part.

Amour et mort sont, en effet, deux éléments
importants pour caractériser les personnages
romanesques en général et tout particulièrement
ceux de Malraux. Seulement dans *la Condition*

humaine, ils ont une nature et une fonction différentes de celles qu'ils avaient dans les précédents
ouvrages. Nous avons déjà dit que, dans l'univers
de Malraux, les relations entre les hommes et les
femmes reflétaient toujours la relation globale
entre les hommes et l'univers. C'est pourquoi,
dans l'univers de Perken et de Garine, on rencon-
trait seulement l'érotisme et les relations de domination, alors que dans *la Condition humaine,*
roman de la communauté révolutionnaire authentique, l'érotisme est, comme l'individu, intégré
et dépassé dans une communauté authentique et
supérieure : celle de l'amour.

Une phrase, mais une seule, annonçait dans *la
Voie royale* la possibilité de cette relation qui sera
au centre de *la Condition humaine.* Nous l'avons
déjà citée : au moment où Perken, apprenant sa
mort imminente, se réfugie dans une tentative
érotique, à l'instant où il prend conscience de l'impossibilité de toute possession érotique durable,
il comprendra aussi « *qu'on ne possède que ce qu'on
aime* ».

Cette phrase, *qui n'a pas de sens dans l'univers
de* la Voie royale *où l'amour est inexistant,* annonce
la Condition humaine dans laquelle Malraux créera
avec Kyo et May le premier couple amoureux de
son œuvre et l'une des plus belles et des plus pures

histoires d'amour qui aient été décrites dans les
œuvres importantes du xxe siècle [1].

Quant à l'érotisme et à la domination, ils ne sont
pas, bien entendu, absents de l'ouvrage, qui con-
tient même deux scènes justement célèbres de cet
ordre, mais ils concernent, non pas Kyo et May,
héros du roman, mais précisément le personnage
périphérique de Ferral, qui ainsi que nous l'avons
déjà dit, correspond par certains côtés à Garine-
Perken. D'autre part, nous retrouverons, dans un
contexte sans doute plus humain, la même relation
purement érotique avec les femmes chez Tchen,
personnage qui correspond dans une grande mesure, lui aussi, nous le rappelons, à Garine.

Il y a cependant entre l'érotisme et la domination dans les romans précédents et ces mêmes relations dans *la Condition humaine*, une différence
importante, essentielle pour la compréhension des
personnages. Dans les romans antérieurs, érotisme
et domination constituaient des valeurs précaires
mais positives, alors qu'ils sont entièrement modifiés et surtout dévalorisés par la présence même de
l'amour dans ce roman de la communauté révo-

---

1. Étant donné l'importance particulière de l'amour de Kyo et de
May dans l'ensemble de l'œuvre de Malraux, et la difficulté de l'évoquer
par une analyse conceptuelle, nous allons laisser parler le texte lui-
même en le citant longuement.

lutionnaire qu'est *la Condition humaine*. Nous y
reviendrons. Commençons cependant par l'amour
de Kyo et de May qui est, dans *la Condition humaine*, l'histoire d'un amour au xxe siècle, époque
où un pareil sentiment n'est plus accessible à n'importe quel homme et à n'importe quelle femme.
C'est pourquoi il ne saurait être une réussite que
dans la mesure où il est organiquement lié à l'action révolutionnaire des deux partenaires.

Son histoire est celle d'un sentiment entièrement
nouveau qui entre en conflit avec les survivances,
qui existent encore chez l'un et chez l'autre, d'un
type de sentiments et d'érotisme qu'ils ont en fait
dépassé. En d'autres termes, Kyo et May ne sont
pas toujours à la hauteur de leur propre existence
et la faiblesse qui survit en chacun d'eux ne sera
définitivement surmontée que grâce à l'action et à
la mort imminente qui les aident et les obligent à
retrouver leur propre niveau.

On connaît les faits : sachant que, dans leur
union, chacun des deux a, à la fois, gardé sa propre
liberté et décidé de respecter celle de l'autre; May,
dans un instant de fatigue — et, en partie aussi,
émue par la pitié et la solidarité qui la lient à un
homme dont elle sait qu'il risque d'être tué dans
quelques heures — a couché avec un confrère qui
la désirait, bien qu'elle ne l'aimât pas. Convaincue

que cela n'a aucune importance pour sa relation avec Kyo, laquelle serait par contre entachée par le moindre mensonge, elle le raconte à celui-ci, qui en éprouve une douleur intense et un vif sentiment de jalousie :

> *Kyo souffrait de la douleur la plus humiliante : celle qu'on se méprise d'éprouver. Réellement, elle était libre de coucher avec qui elle voulait. D'où venait donc cette souffrance sur laquelle il ne se reconnaissait aucun droit, et qui se reconnaissait tant de droits sur lui ?*
>
> *(...)*
>
> *— Kyo, je vais te dire quelque chose de singulier, et qui est vrai pourtant... jusqu'il y a cinq minutes, je croyais que ça te serait égal. Peut-être ça m'arrangeait-il de le croire... Il y a des appels, surtout quand on est si près de la mort (c'est de celle des autres que j'ai l'habitude, Kyo...) qui n'ont rien à voir avec l'amour...*
>
> *Pourtant, la jalousie existait, d'autant plus troublante que le désir sexuel qu'elle inspirait reposait sur la tendresse. Les yeux fermés, toujours appuyé sur son coude, il essayait — triste métier — de comprendre. Il n'entendait que la respiration oppressée de May, et le grattement des pattes du petit chien. Sa blessure venait d'abord (il y aurait, hélas ! des ensuite) de ce qu'il prêtait à l'homme qui venait de coucher avec May (je ne peux pourtant pas l'appeler son amant !) du mépris pour elle. C'était un des anciens camarades de May, il le connaissait à peine. Mais il connaissait la misogynie fondamentale de presque tous les hommes. « L'idée qu'ayant couché avec elle, parce qu'il a couché avec elle, il peut penser d'elle : « cette petite poule », me donne envie de l'assommer. Ne serait-on jamais jaloux que de ce qu'on suppose que suppose l'autre ? Triste humanité... » Pour*

May la sexualité n'engageait rien. Il fallait que ce type le sût. Qu'il couchât avec elle, soit, mais ne s'imaginât pas la posséder. « Je deviens navrant... » Mais il n'y pouvait rien, et là n'était pas l'essentiel, il le savait. L'essentiel, ce qui le troublait jusqu'à l'angoisse, c'est qu'il était tout à coup séparé d'elle, non par la haine — bien qu'il y eût de la haine en lui — non par la jalousie (ou bien la jalousie était-elle précisément cela ?) ; par un sentiment sans nom, aussi destructeur que le temps ou la mort : il ne la retrouvait pas.

Et Kyo partira sans que la relation se soit rétablie :

> *May lui tendit ses lèvres. L'esprit de Kyo voulait l'embrasser ; sa bouche non, — comme si, indépendante, elle eût gardé rancune. Il l'embrassa enfin, mal. Elle le regarda avec tristesse, les paupières affaissées ; ses yeux pleins d'ombres devenaient puissamment expressifs, dès que l'expression venait des muscles. Il partit.*

Ce n'est qu'une fois seul dans la rue, ayant retrouvé l'action, qu'il se rendra compte à quel point leur amour est profond :

> *« Les hommes ne sont pas mes semblables, ils sont ceux qui me regardent et qui me jugent ; mes semblables, ce sont ceux qui m'aiment et ne me regardent pas, qui m'aiment contre tout, qui m'aiment contre la déchéance, contre la bassesse, contre la trahison, moi et non ce que j'ai fait ou ferai, qui m'aimeraient tant que je m'aimerais moi-même — jusqu'au suicide compris... Avec elle seule j'ai en commun cet amour déchiré ou non, comme d'autres ont, ensemble, des enfants malades et qui peuvent mourir... » Ce n'était certes pas le bonheur, c'était quelque chose de primitif qui s'accordait aux ténèbres et faisait*

monter en lui une chaleur qui finissait dans une étreinte immobile, comme d'une joue contre une joue — la seule chose en lui qui fût aussi forte que la mort.

Sur les toits, il y avait déjà des ombres à leur poste.

La crise ne sera surmontée qu'au moment de la défaite, à l'instant où Kyo part pour la séance du comité central ; il sait, de même que May, qu'il sera probablement arrêté et exécuté. Au premier abord la tension semble cependant s'accumuler :

> — *Où vas-tu ?*
> — *Avec toi, Kyo.*
> — *Pour quoi faire ?*
> *Elle ne répondit pas.*
> — *Il est plus facile de nous reconnaître ensemble que séparés, dit-il.*
> — *Mais non, pourquoi ? Si tu es signalé, c'est la même chose...*
> — *Tu ne serviras à rien.*
> — *A quoi servirai-je, ici, pendant ce temps ? Les hommes ne savent pas ce que c'est que d'attendre...*
> *Il fit quelques pas, s'arrêta, se retourna vers elle :*
> — *Écoute, May : lorsque ta liberté a été en jeu, je l'ai reconnue.*
> *Elle comprit à quoi il faisait allusion et eut peur : elle l'avait oublié. En effet, il ajoutait, d'un ton plus sourd :*
> — *Et tu as su la prendre. Il s'agit maintenant de la mienne.*
> — *Mais, Kyo, quel rapport ça a-t-il ?*
> — *Reconnaître la liberté d'un autre, c'est lui donner raison contre sa propre souffrance, je le sais d'expérience.*
> *Il se tut, de nouveau. Oui, en ce moment, elle était un autre. Quelque chose entre eux avait été changé.*

— *Alors, reprit-elle, parce que j'ai... enfin, à cause de cela, nous ne pouvons plus même être en danger ensemble ?... Réfléchis, Kyo : on dirait presque que tu te venges...*

— *Ne plus le pouvoir, et le chercher quand c'est inutile, ça fait deux.*

— *Mais si tu m'en voulais tellement que cela, tu n'avais qu'à prendre une maîtresse... Et puis, non ! pourquoi est-ce que je dis cela, ce n'est pas vrai, je n'ai pas pris un amant ! Et tu sais bien que tu peux coucher avec qui tu veux...*

— *Tu me suffis, répondit-il amèrement.*

Son regard étonna May : tous les sentiments s'y mêlaient. Et — le plus troublant de tous — sur son visage, l'inquiétante expression d'une volupté ignorée de lui-même.

— *En ce moment, reprit-il, ce n'est pas de coucher que j'ai envie. Je ne dis pas que tu aies tort : je dis que je veux partir seul. La liberté que tu me connais, c'est la tienne. La liberté de faire ce qu'il te plaît. La liberté n'est pas un échange, c'est la liberté.*

— *C'est un abandon...*

Silence.

— *Pourquoi des êtres qui s'aiment sont-ils en face de la mort, Kyo, si ce n'est pour la risquer ensemble ?*

Elle devina qu'il allait partir sans discuter, et se plaça devant la porte.

— *Il ne fallait pas me donner cette liberté, dit-elle, si elle doit nous séparer maintenant.*

— *Tu ne l'as pas demandée.*

— *Tu me l'avais d'abord reconnue.*

« *Il ne fallait pas me croire* », *pensa-t-il. C'était vrai, il la lui avait toujours reconnue. Mais qu'elle discutât en ce moment sur ces droits la séparait de lui davantage.*

— *Il y a des droits qu'on ne donne, dit-elle amèrement, que pour qu'ils ne soient pas employés.*

— *Ne les aurais-je reconnus que pour que tu puisses*

t'y accrocher en ce moment, ce ne serait pas si mal...

Cette seconde les séparait plus que la mort : paupières, bouche, tempes, la place de toutes les tendresses est visible sur le visage d'une morte, et ces pommettes hautes et ces longues paupières n'appartenaient plus qu'à un monde étranger. Les blessures du plus profond amour suffisent à faire une assez belle haine. Reculait-elle, si près de la mort, au seuil de ce monde d'hostilité qu'elle découvrait ? Elle dit :

— *Je ne m'accroche à rien, Kyo, disons que j'ai eu tort, ce que tu voudras, mais maintenant, en ce moment, tout de suite, je veux partir avec toi. Je te le demande.*

Il se taisait.

— *Si tu ne m'aimais pas, reprit-elle, ça te serait bien égal de me laisser partir avec toi... Alors ? Pourquoi nous faire souffrir ?*

« *Comme si c'était le moment* », *ajouta-t-elle avec lassitude.*

(...)

— *Nous partons ? demanda-t-elle.*

— *Non.*

Trop loyale pour cacher son instinct, elle revenait à ses désirs avec une opiniâtreté de chat, qui souvent agaçait Kyo. Elle s'était écartée de la porte, mais il s'aperçut qu'il avait eu envie de passer seulement tant qu'il avait été sûr qu'il ne passerait pas.

— *May, allons-nous nous quitter par surprise ?*

— *Ai-je vécu comme une femme qu'on protège...*

Ils restaient l'un en face de l'autre, ne sachant plus que dire et n'acceptant pas le silence, sachant tous deux que cet instant, l'un des plus graves de leur vie, était pourri par le temps qui passait : la place de Kyo n'était pas là, mais au Comité, et sous tout ce qu'il pensait l'impatience était embusquée.

Elle lui montra la porte du visage.

Il la regarda, prit sa tête entre ses deux mains, la serrant doucement sans l'embrasser, comme s'il eût pu mettre dans cette étreinte du visage ce qu'ont de tendresse et de violence mêlées tous les gestes virils de l'amour. Enfin ses mains s'écartèrent.

Les deux portes se refermèrent. May continuait à écouter, comme si elle eût attendu que se fermât à son tour une troisième porte qui n'existait pas, — la bouche ouverte et molle, saoule de chagrin, découvrant que, si elle lui avait fait signe de partir seul, c'était parce qu'elle pensait faire ainsi le dernier, le seul geste, qui pût le décider à l'emmener.

Mais, seul dans la rue, Kyo sent de nouveau la force qui l'unit à May :

La séparation n'avait pas délivré Kyo. Au contraire : May était plus forte dans cette rue déserte — ayant accepté — qu'en face de lui, s'opposant à lui. Il entra dans la ville chinoise, non sans s'en apercevoir, mais avec indifférence. « Ai-je vécu comme une femme qu'on protège ?... » De quel droit exerçait-il sa pitoyable protection sur la femme qui avait accepté même qu'il partît ? Au nom de quoi la quittait-il ? Était-il sûr qu'il n'y eût pas là de vengeance ? Sans doute May était-elle encore assise sur le lit, écrasée par une peine qui se passait de psychologie...

Il revint sur ses pas en courant.

La pièce aux phénix était vide : son père sorti, May toujours dans la chambre. Avant d'ouvrir il s'arrêta, écrasé par la fraternité de la mort, découvrant combien, devant cette communion, la chair restait dérisoire malgré son emportement. Il comprenait maintenant qu'accepter d'entraîner l'être qu'on aime dans la mort est peut-être la forme totale de l'amour, celle qui ne peut pas être dépassée.

Il ouvrit.

*Elle jeta précipitamment son manteau sur ses épaules
et le suivit sans rien dire.*

Arrivés au lieu de la réunion, May sera assommée,
Kyo arrêté. Par la suite, au moment d'être exécuté,
il avalera le cyanure que portaient sur eux la plupart des chefs révolutionnaires en prévision de cette
éventualité, se tuera pour échapper à la torture,
et au moment de la mort, retrouvera entièrement,
sans réserves, à la fois May et tous ses autres camarades de combat :

*Kyo ferma les yeux (...) Il avait beaucoup vu mourir et,
aidé par son éducation japonaise, il avait toujours pensé
qu'il est beau de mourir de sa mort, d'une mort qui ressemble à la vie.* Et mourir est passivité, mais se tuer est
un acte. *Dès qu'on viendrait chercher le premier des
leurs, il se tuerait en pleine conscience. Il se souvint —
le cœur arrêté — des disques de phonographe. Temps
où l'espoir conservait un sens ! Il ne reverrait pas May,
et la seule douleur à laquelle il fût vulnérable était sa
douleur à elle, comme si sa propre mort eût été une faute :
« Le remords de mourir »,* pensa-t-il *avec une ironie
crispée. Rien de semblable à l'égard de son père qui
lui avait toujours donné l'impression, non de faiblesse,
mais de force. Depuis plus d'un an, May l'avait délivré
de toute solitude, sinon de toute amertume. La lancinante
fuite dans la tendresse des corps noués pour la première
fois jaillissait, hélas ! dès qu'il pensait à elle, déjà séparé
des vivants... « Il faut maintenant qu'elle m'oublie... »
Le lui écrire, il ne l'eût que meurtrie et attachée à lui
davantage. « Et c'est lui dire d'en aimer un autre. » O prison, lieu où s'arrête le temps, — qui continue ailleurs...*

À côté de cette union totale de Kyo et May, dans laquelle on ne saurait en aucune façon dissocier la relation privée de l'activité révolutionnaire, à côté de cette *totalité réalisée*, l'autre relation entre homme et femme décrite dans le roman, celle entre Ferral et Valérie (il n'y a que quelques allusions aux relations érotiques de Tchen avec les prosti- tuées), est naturellement dévalorisée et dégradée ; et il n'y a rien d'étonnant dans le fait que sa déva- lorisation entraîne nécessairement dans *la Condition humaine* un changement de nature. Il n'y a plus aucune domination, aucune prédominance de l'hom- me. Valérie se révolte et, pour humilier Ferral, lui donne rendez-vous avec un canari dans le hall de l'hôtel en même temps qu'à un autre personnage du même monde. Valérie ne viendra pas et les deux hommes se trouveront nez à nez, ridicules, suivis de leurs boys qui apportent les cages avec les oiseaux.

Pour se venger, Ferral remplira d'oiseaux la chambre de Valérie en l'absence de celle-ci. La suite n'est pas indiquée ; elle n'a plus d'intérêt d'ailleurs : la relation se perd dans le dérisoire.

Et pourtant, cette relation de domination éroti- que était dans *les Conquérants* et dans *la Voie royale*, sur le plan de la vie privée, la valeur par excellence qui permettait à Garine et à Perken de s'affirmer et de se sentir exister.

A côté de l'amour, la mort est un autre événement constitutif de l'existence des principaux personnages du roman. En évoquant l'instant où Kyo, avalant le cyanure, retrouve le plus intensément la présence de May, nous avons déjà indiqué la signification et la fonction qu'a la mort pour les révolutionnaires de *la Condition humaine*, signification et fonction différentes et même opposées à celles qu'elle avait pour Garine et Perken dans les romans précédents. Dans *les Conquérants* et *la Voie royale* en effet, la mort était cette réalité inévitable qui rendait précaires et provisoires toutes les valeurs intra-mondaines liées à l'action, qui les annihilait *rétroactivement* et ramenait le héros à l'informe et à la solitude absolue, alors qu'elle est au contraire dans *la Condition humaine* l'instant qui réalise entièrement l'unité organique avec l'action et la communauté avec les autres camarades. Dans les romans précédents, la mort rompait tous les liens entre l'individu et la communauté. Dans *la Condition humaine* elle assure le dépassement définitif de la solitude. Parmi les personnages qui incarnent le groupe révolutionnaire proprement dit, deux morts nous sont décrites, celle de Katow et celle de Kyo. Nous avons déjà parlé de cette dernière : Kyo mourra en retrouvant non seulement May, mais aussi Katow, ses camarades, et surtout le sens même de sa lutte et de son existence. C'est pourquoi sa mort n'est pas une fin car sa vie et son combat seront repris par tous ceux qui après lui continueront l'action :

> *Il aurait combattu pour ce qui, de son temps, aurait été chargé du sens le plus fort et du plus grand espoir; il mourait parmi ceux avec qui il aurait voulu vivre; il mourait, comme chacun de ces hommes couchés, pour avoir donné un sens à sa vie. Qu'eût valu une vie pour laquelle il n'eût pas accepté de mourir ? Il est facile de* mourir quand on ne meurt pas seul. *Mort saturée de ce chevrotement fraternel, assemblée de vaincus, où des multitudes reconnaîtraient leurs martyrs, légende sanglante dont se font les légendes dorées! Comment, déjà regardé par la mort, ne pas entendre ce murmure de sacrifice humain qui lui criait que le cœur viril des hommes est un refuge à morts qui vaut bien l'esprit ?...*
>
> *Non, mourir pouvait être un acte exalté, la suprême expression d'une vie à quoi cette mort ressemblait tant; et c'était échapper à ces deux soldats qui s'approchaient en hésitant. Il écrasa le poison entre ses dents comme il eût commandé, entendit encore Katow l'interroger avec angoisse et le toucher, et, au moment où il voulait se raccrocher à lui, suffoquant, il sentit toutes ses forces le dépasser, écartelées au-delà de lui-même contre une toute-puissante convulsion ».*

De même, la mort de Katow est le moment où il rejoint le plus intensément la communauté révolutionnaire. A côté de lui, deux militants chinois sont étendus, terrifiés par le sifflet de la locomotive dans laquelle Tchang Kaï-Chek fait jeter vivants

les prisonniers. Katow, dans un acte de fraternité
suprême, leur passe son cyanure. Malheureusement,
blessé à la main, l'un des Chinois le laisse tomber.
Pendant quelques instants on peut croire que l'acte
de Katow n'a eu aucune efficacité. Mais au-delà
de la réalité matérielle, la fraternité est plus forte
et présente que jamais. Ses deux camarades chinois ne se sentent plus seuls :

> *Leurs mains frôlaient la sienne. Et tout à coup une des
> deux la prit, la serra, la conserva.*
> *— Même si nous ne trouvons rien... dit une des voix.*

Mais le cyanure est retrouvé, et ses deux camarades échappent à la torture, Katow est conduit à
la locomotive. C'est peut-être l'instant le plus
intense et le plus solennel du récit. Il traverse la scène
entouré de la fraternité de tous les autres prisonniers, blessés, attachés au sol, et voués au même
destin.

> *... le fanal projeta l'ombre maintenant très noire de
> Katow sur les grandes fenêtres nocturnes ; il marchait
> pesamment d'une jambe sur l'autre, arrêté par ses blessures ;
> lorsque son balancement se rapprochait du fanal, la
> silhoutte de sa tête se perdait au plafond. Toute l'obscurité
> de la salle était vivante, et le suivait du regard pas à pas.
> Le silence était devenu tel que le sol résonnait chaque fois
> qu'il le touchait lourdement du pied ; toutes les têtes, battant
> de haut en bas, suivaient le rythme de sa marche, avec
> amour, avec effroi, avec résignation, comme si, malgré les
> mouvements semblables, chacun se fût dévoilé en suivant*

ce départ cahotant. Tous restèrent la tête levée : la porte se refermait.

Un bruit de respirations profondes, le même que celui du sommeil, commença à monter du sol : respirant par le nez, les mâchoires collées par l'angoisse, immobiles maintenant, tous ceux qui n'étaient pas encore morts attendaient le sifflet.

On le voit : le sujet de *la Condition humaine* n'est pas seulement la chronique des événements de Shangaï ; il est aussi, et en tout premier lieu, cette réalisation extraordinaire de la communauté révolutionnaire dans la défaite des militants et la survie de ceux-ci dans la lutte révolutionnaire qui se poursuit après leur mort. Aussi est-ce par rapport à cette lutte que se situe le destin ultérieur des autres personnages. Deux d'entre eux, Hemmelrich et Tchen seront récupérés par le combat. Le premier avait hésité toute sa vie entre ses devoirs envers sa femme et son enfant, victimes passives, incapables de se défendre dans un monde barbare et injuste, et ses aspirations révolutionnaires ; il sera libéré par la répression qui, massacrant les siens, lui rend la liberté dont il n'avait cessé de rêver et lui permet de s'engager entièrement dans l'action.

Quant à Tchen qui, soutenu officieusement par le groupe des révolutionnaires, a essayé par deux fois d'organiser un attentat contre Tchang Kaï-Chek,

qui est déchiqueté au cours de sa deuxième tentative et qui se suicide, il se trouve entièrement seul
au moment où il lance la bombe et où il meurt, en
prenant conscience que dans ce monde-ci « la mort
même de Tchang Kaï-Chek lui est devenue indifférente ». C'est, sur le plan immédiat, la mort de
Garine et de Perken, mais, à la fin du roman nous
apprendrons que son disciple Peï, par lequel il
espérait assurer la continuité de son action anarchiste, est parti pour la Russie et a rejoint les communistes. Ainsi l'acte même de Tchen et la solitude
totale dans laquelle il s'est trouvé rejeté au moment
de la mort ont été dépassés et intégrés par l'action
historique.

Trois personnages quitteront l'orbite de l'action :
Gisors, pour qui la mort de Kyo a rompu tout lien
avec la révolution, retourne au panthéisme passif
de la culture chinoise traditionnelle ; Ferral se
trouvera évincé de l'action par un consortium de
banquiers et d'administrateurs qui lui enlèveront
son œuvre [1] ; Clappique, obligé de se mettre à l'abri
de la répression qui le vise dans la mesure où il a
aidé Kyo, se déguisera en marin et trouvera dans le
déguisement la véritable signification de sa vie.

---

1. Saint-Exupéry le constatera aussi. Dans le monde tel qu'il est,
les conquérants préparent la voie aux technocrates et sont éliminés
et remplacés par eux.

Restent les combattants, May, et, derrière elle,
Peï et Hemmelrich auxquels nous devons nous
arrêter quelque peu. Le récit nous dit simplement
qu'ils ont tous trois rejoint l'U. R. S. S., d'où ils
continuent le combat, et qu'ils reviendront par la
suite en Chine, la construction de l'U. R. S. S., la
réalisation du plan quinquennal étant devenues
« l'arme principale de la lutte des classes » pour
l'instant.

C'est dire que la position conceptuelle de Malraux, au moment où il écrit le roman, n'est pas
trotskyste mais au contraire assez proche des positions staliniennes. Il n'en reste pas moins que les
deux chapitres qui l'expriment, à savoir les vingt
pages de la troisième partie qui se situent à Hang-
kéou, ainsi que les six dernières pages de l'ouvrage,
sont beaucoup plus abstraites et schématiques
que le reste du récit, et font figure jusqu'à un certain point de corps étranger et surajouté [1].

Si l'unité du roman n'en souffre pas, et si *la Condition humaine* reste un roman puissamment cohérent et unitaire, c'est avant tout parce que ces

---

1. C'est là un phénomène fréquent dans l'histoire de la littérature,
qui résulte de l'immixtion dans la création imaginaire, qui tend à
suivre ses propres lois et à s'orienter vers sa propre cohérence, des
convictions idéologiques de l'écrivain ; l'historien sociologue de la
littérature pourrait citer des cas analogues dans l'œuvre des plus
grands écrivains (par exemple dans celle de Gœthe ou de Balzac).

fragments atteignent à peine un dixième de l'ouvrage ; encore, ce dixième n'est-il pas entièrement
consacré à exprimer cette position conceptuelle.

En somme l'idéologie explicite de Malraux ne
tient, dans *la Condition humaine*, qu'une place
négligeable, alors que la perspective non ortho-
doxe des révolutionnaires de Shangaï constitue la
perspective unitaire dans laquelle est écrit le récit.
Il n'en reste pas moins que, dans chacun de ces
deux passages, Malraux est obligé de faire la
transition entre deux positions, difficilement conci-
liables. Il le fera dans le chapitre situé à Hang-
kéou en indiquant les doutes de Vologuine, le représentant de l'Internationale, qui

> *était beaucoup plus mal à l'aise qu'il ne le laissait*
> *paraître...*

doutes qui se matérialisent entre autres choses par
le fait que, tout en se déclarant opposé à tout
attentat individuel, et notamment à l'attentat
contre Tchang Kaï-Chek que lui propose Tchen,
Vologuine laisse néanmoins celui-ci partir, favori-
sant ainsi son action terroriste.

Il l'exprimera aussi à la fin de l'ouvrage dans la
psychologie de May qui, rejoignant le parti et
l'Internationale, s'est intégrée à une lutte qui doit
en principe récupérer et intégrer celle des révolu-

tionnaires de Shangaï ; de May qui va, on nous le
fait comprendre, recommencer une vie nouvelle
mais qui le fait, comme nous le dit la dernière
phrase, « sans enthousiasme », le cœur lourd et sans
avoir, de toute évidence, résolu ses problèmes :

> « *Je ne pleure plus guère, maintenant* », dit-elle, *avec un
> orgueil amer.*

Dans *les Conquérants* et dans *la Condition humaine*, Malraux, tout en écrivant les deux premiers
romans français de la révolution prolétarienne
du xxe siècle, ne s'identifie cependant pas au parti
communiste qui dirige cette révolution. Nous
avons pu, en effet, voir que les valeurs fondamentales qui structuraient les univers des deux ouvrages étaient différentes de celles de ce parti, bien que
celui-ci y eût, dans les deux cas, une valeur positive,
et que, de toute évidence, le passage du roman de
Garine à celui de la communauté des révolutionnaires de Shangaï ait constitué un pas important
dans la direction d'une perspective révolutionnaire.

Comparé à ces deux romans, *le Temps du Mépris
et l'Espoir* marquent un changement important :
l'acceptation intégrale du parti communiste.

Soulignons cependant que la structure de l'univers n'est pas homologue dans les deux écrits.

Le Temps du Mépris est le récit d'un épisode de
la lutte révolutionnaire, laquelle rend possibles la
dignité humaine, la communauté immédiate et la
réconciliation de l'homme et de l'univers, le parti
communiste y étant *naturellement et implicitement*
valorisé en tant qu'il organise et dirige cette lutte,
alors que dans *l'Espoir*, le parti est *consciemment*
valorisé en tant qu'organisation qui réalise la dis-
discipline militaire du combat *à l'encontre des aspirations* spontanées du peuple en général et du prolétariat en particulier.

On pourrait, nous semble-t-il, caractériser de la
façon suivante les quatre récits qui, dans l'œuvre
de Malraux, ont pour sujet la révolution prolétarienne :

Les Conquérants sont le roman des relations entre
l'individu problématique [1] — Garine — et la révolution qui lui permet de donner, de façon provisoire
et précaire, un sens authentique à son existence.

La Condition humaine est le roman des relations
entre *la communauté problématique* des révolutionnaires de Shangaï, lesquels, en tant qu'individus,

---

1. Pour éviter tout malentendu, précisons que nous employons le
terme de personnage problématique non pas dans le sens « qui pose
des problèmes », mais dans celui de personnage dont l'existence et les
valeurs le situent devant des problèmes insolubles et dont il ne saurait
prendre une conscience claire et rigoureuse (ce dernier trait séparant
le héros romanesque du héros tragique).

ont trouvé *définitivement* une signification authentique à leur existence dans le combat et dans la
défaite, et l'ensemble de l'action révolutionnaire à
l'intérieur de laquelle la tactique de l'Internationale communiste rend leur mort et leur défaite
inévitables.

Le Temps du Mépris est le récit de la relation
non problématique de l'individu Kassner avec la
communauté *non problématique* des combattants
révolutionnaires, et, implicitement, avec le parti
communiste qui en fait partie et la dirige.

L'Espoir, enfin, a pour sujet la relation *non
problématique* du peuple espagnol et du prolétariat international avec le parti communiste discipliné et opposé à la spontanéité révolutionnaire.

Cette énumération soulève d'emblée deux genres
de questions : celle du passage de la distance par
rapport au parti communiste à son acceptation
sans réserve, et celle de la disparition du héros
problématique, et, avec lui, de la forme strictement
romanesque.

La première apparaît tout d'abord comme un
fait d'ordre biographique et psychologique sur
lequel nous ne saurions apporter aucun éclaircisse-
ment. Il n'est cependant pas exclu qu'il s'agisse d'un
phénomène plus général qui dépasse la simple
biographie de l'écrivain. *La Condition humaine,*

publié en 1933, a été écrite avant cette date, *le Temps du Mépris* est de 1935. Entre les deux ouvrages se situe la prise de pouvoir du national-socialisme en Allemagne qui a eu de profondes répercussions dans les milieux intellectuels et politiques de la gauche européenne. Beaucoup de militants ont jugé qu'après cette prise de pouvoir, les exigences de la lutte antifasciste les obligeaient à reléguer au second plan leurs réserves à l'égard du parti communiste, d'autant plus que celui-ci, abandonnant la théorie et la politique du « social-fascisme », s'orientait, à partir de 1934, vers une politique de lutte antifasciste et de front populaire.

Pour nous limiter aux noms internationalement connus de la gauche indépendante et de l'opposition communiste, à côté de Malraux, deux autres figures importantes de la vie intellectuelle, Georg Lukács et Ilya Ehrenbourg rejoignaient, devant la montée de l'hitlérisme peu avant 1933, les positions officielles du Parti et, en 1933, un des principaux dirigeants de l'opposition russe, Christian Rakowsky, faisait de même.

Bien entendu, ce rapprochement, qui s'est probablement opéré, en dehors des quatre noms internationalement connus que nous venons de citer, chez quelques milliers de militants peu notoires ou inconnus, a eu, dans chaque cas individuel un aspect particulier, chacun de ces militants gardant des réserves plus ou moins explicites vis-à-vis de la doctrine ou de la pensée « officielle ». Même si nous nous limitons aux quatre noms mentionnés plus haut, il est évident que les deux théoriciens Lukács et Rakowsky conservaient, sur le plan explicite de leurs écrits et de leurs professions de foi, des réserves beaucoup plus fortes que ne le faisaient les écrivains Ilya Ehrenbourg et Malraux.

Il faudrait donc étudier de bien plus près les répercussions du développement de l'hitlérisme et de la prise du pouvoir par Hitler sur les intellectuels marxistes et paramarxistes pour savoir dans quelle mesure l'évolution de Malraux est un simple fait biographique ou la manifestation d'une tendance plus profonde correspondant à certains courants de la conscience collective.

Sur le plan de la forme littéraire, il nous semble que la disparition du héros problématique entraîne naturellement l'abandon de la structure proprement romanesque ; ainsi, ni *le Temps du Mépris* ni *l'Espoir* ne sont plus des romans dans le sens étroit du terme, mais des formes intermédiaires entre l'épique et le lyrique [1]. Dans ces œuvres

1. L'épique étant visé et exigé par l'affirmation de la réconciliation entre l'individu et la communauté, le lyrique, présent comme aspect complémentaire du caractère malgré tout postulé et non organique de cette réconciliation.

l'absence, à la fois de la légéreté du poème épique
et de l' « histoire » structurée du roman, ne permet
plus que la forme du bref épisode isolé ou répété
qui seule peut éviter à la fois l'incohérence et l'ab-
straction.

C'est la raison pour laquelle, nous semble-t-il,
le Temps du Mépris est devenu une nouvelle et
l'Espoir une série d'épisodes dont les liens paraissent assez relâchés.

Le Temps du Mépris se compose de trois parties
étroitement reliées l'une à l'autre sans toutefois
constituer un roman. On pourrait caractériser ce
texte comme une nouvelle à tendance lyrique et
nous avons déjà formulé l'hypothèse que la briè-
veté du récit aussi bien que son caractère lyrique
proviennent du décalage entre le sujet visé, l'unité
totale de l'individu et de la communauté, et le
contenu réel du livre dans lequel cette unité n'apparaît que comme le résultat final d'un combat au
cours duquel elle est maintes fois menacée ; (alors
que le poème épique proprement dit ne saurait
supporter aucune menace de ce genre).

Comme l'a dit Lukács : « le poème épique ne connaît que des réponses mais pas de questions », or le
récit de Malraux est en grande partie celui d'une
question dont la menace est permanente au long
du livre, même si elle finit pas être vaincue. Il

s'agit au fond, si on nous passe l'expression, d'un récit pré-épique situé au moment où, comme le dit Malraux, « un dieu » ou, ce qui est la même chose sur le plan de la critique littéraire, le poème épique *va naître.*

Nous possédons d'ailleurs sur la nature et l'univers de ce récit un texte particulièrement important puisqu'il s'agit d'une brève préface de Malraux lui-même, qui est une sorte de manifeste littéraire.

Malraux y exprime, en effet, la conscience de se situer avec cet écrit au tournant entre deux formes de littérature narrative : celle du roman à héros individuel et problématique, et celle à laquelle se rattache sa nouvelle œuvre et qu'il appelle, à tort selon nous, tragique, alors qu'en réalité il s'agit seulement d'un univers de la grandeur totale et non problématique de l'homme, née de sa possibilité de créer et de maintenir un lien organique avec la communauté.

Si le terme tragique nous semble impropre, nous pensons par contre que Malraux a raison, sur le fond, lorsqu'il distingue ces deux formes littéraires comme étant l'une, celle de l'individualisme des écrivains et des artistes du xxᵉ siècle, tels que Flaubert ou Wagner, orientés surtout vers le monde intérieur et les différences individuelles, et l'autre, à laquelle il rattache, à tort ou à raison, les noms

d'Eschyle, Homère, Chateaubriand, Nietzsche et
même Dostoïevsky comme étant celle dont l'art
tend à donner conscience aux hommes « de la grandeur qu'ils ignorent en eux ».

Il va de soi que le livre se range dans cette
dernière catégorie.

Après avoir ainsi situé son ouvrage dans une
sorte de typologie historique des formes romanesques, Malraux énumère les composantes consti-
tutives de l'univers d'un écrit dont il nous dit
qu'il ne comporte que deux personnages : « *le
héros et son sens de la vie* » et qu'on n'y trouve pas
les antagonismes individuels qui « permettent
au roman sa complexité » ; ces composantes sont :
« *l'homme, la foule, les éléments, la femme, le destin* ».

Cette analyse nous paraît valable ; notons
simplement qu'un des principaux éléments constitutifs de l'univers des premiers romans, la mort,
n'y figure plus et que Malraux a eu raison de l'éliminer aussi bien dans l'énumération de la préface
que dans le corps du récit, dans la mesure où
— comme nous l'avions déjà dit dans la première
partie de cette étude — lorsque l'individu réussit
à s'insérer de manière organique dans un univers
régi par des valeurs supra-individuelles, la mort
perd, — que ces valeurs soient transcendantes

ou immanentes, qu'il s'agisse de Dieu ou de la communauté humaine, — non pas sans doute sa réalité empirique, mais sa signification primordiale.

Signalons encore deux idées particulièrement importantes exprimées dans ce texte :

a) L'univers de l'homme lié organiquement à la communauté, l'univers de l'unité retrouvée, qui ne saurait plus être centré sur la psychologie des différences individuelles et l'originalité du héros, devient nécessairement à notre époque un univers de *l'action et du combat*.

b) Décrivant l'humanité du *militant communiste Kassner*, et ayant rompu par cela même avec les Alexandrins et les écrivains du xviiie et du xixe siècle, Malraux pense avoir retrouvé la tradition des grandes époques d'intégration des individus à la totalité, la tradition de la personne chrétienne, de l'empire romain et des soldats de l'armée du Rhin.

Résumer ce texte introductif, c'est déjà dessiner la structure essentielle d'un univers que Malraux caractérise comme étant celui de la *fraternité virile*.

Venons-en maintenant au récit.

L'ouvrage nous raconte l'histoire de l'intellectuel communiste Kassner qui, ayant décidé de se

rendre dans une maison encerclée par les policiers
nazis pour détruire une liste de noms qu'un camarade négligent y avait oubliée, est tout d'abord
arrêté et enfermé dans un camp de concentration.
Libéré par la suite grâce à l'intervention d'un
autre militant qui, soit spontanément, soit sur
l'ordre du parti (on ne le saura jamais), se substitue
à lui en se livrant à la police sous son nom, il se
rend à Prague où il retrouve sa femme, son enfant
et ses autres camarades avec lesquels il reprend le
combat.

Les trois épisodes constitutifs du récit sont respectivement ceux du camp de concentration,
du voyage en avion et de l'arrivée à Prague.

Malraux nous a dit dans sa préface que le livre
ne comporte que deux personnages : le héros
et son sens de la vie. Cela est vrai dans la mesure
où il s'agit du thème essentiel de l'ouvrage vu
dans la perspective du héros. Mais le sens de la vie
s'identifie pour celui-ci à l'affaiblissement ou au
maintien, à l'instant le plus critique (celui où il
est enfermé dans un cachot et livré seul aux brutes
nazies), de ses liens avec la communauté révolutionnaire (incarnée dans ce livre, à la différence
des autres ouvrages de Malraux, y compris *l'Espoir*,
naturellement et sans problèmes par le parti communiste).

Il s'agit donc de savoir dans quelle mesure la fraternité virile qui lie Kassner à ses camarades et, à travers eux, à l'humanité et à l'univers, pourra maintenir intacte sa présence dans la solitude du camp, en face des policiers qui viennent le torturer, qui peuvent à chaque instant le tuer, et qui le feront très probablement alors que pour leur tenir tête il ne possède que l'apparence, à peine vraisemblable, de sa fausse identité et la force de sa résistance physique et morale ; précisons aussi que celle-ci n'a rien à voir avec l'attitude individualiste du stoïcien opposant son autonomie à la réalité du monde humain et de l'univers, et qu'elle s'appuie uniquement sur la conscience de la communauté avec les autres hommes ; faculté de se sentir toujours chez soi dans le monde, elle faiblit en effet et tend à disparaître, dès que l'individu s'y sent au contraire seul et étranger.

La phrase clef du récit est celle que Kassner entend prononcer en rêve par les chameliers tartares sous le ciel de Mongolie :

> « *Et si cette nuit est une nuit du destin... — Bénédiction sur elle jusqu'à l'apparition de l'aurore...* »

car, dans son cachot, il se trouve plongé lui aussi dans une nuit qui pour lui sera peut-être celle du destin et, bien qu'il soit, comme les chameliers sûr de l'arrivée future de l'aurore, il n'est, comme eux, pas du tout certain d'être encore là pour la voir.

Aura-t-il, dans cette situation, la force de reprendre la phrase des chameliers, d'accepter, quoi qu'il arrive, les événements ?

Toute la première partie de l'ouvrage est une oscillation continuelle entre le sentiment d'abandon et de solitude et, au contraire, celui de la présence de la communauté virile des combattants.

Oscillation déterminée tout d'abord par l'ambiance immédiate et par l'attitude de son corps. Lorsqu'il entend au loin les pas des geôliers, le bruit de leurs coups dans la cellule voisine, les gémissements de son camarade torturé, il se sent seul et affaibli ; mais lorsque les geôliers arrivent dans sa cellule et commencent à le frapper, sa résistance s'affirme et il retrouve à nouveau ses forces vives. Par la suite, isolé de nouveau, après quelques instants pendant lesquels « *sa première sensation fut de confort* », Kassner sent une fois de plus sa volonté se décomposer :

> *Sa force, devenue parasite, le rongeait opiniâtrement. Il était un animal d'action, et les ténèbres le désintoxiquaient de la volonté.*
>
> *Il fallait attendre. C'était tout. Durer. Vivre en veilleuse*

*comme les paralysés, comme les agonisants, avec cette
volonté opiniâtre et ensevelie, ainsi qu'un visage tout au
fond des ténèbres.*
   Sinon, la folie.

De même, lorsque au cours d'un accès de faiblesse il veut se suicider et réfléchit au temps qu'il
lui faudrait pour aiguiser son ongle contre les
murs de façon à pouvoir s'en servir pour s'ouvrir
les veines, il suffit que ses geôliers jettent une corde
dans la cellule dans l'espoir de l'inciter au suicide,
pour que toutes ses forces lui reviennent et que
sa seule inquiétude réelle devienne celle de savoir
si dans les cellules voisines d'autres camarades
ne risquent pas de céder à la pression des tortion-
naires.

Lorsqu'il lui arrive dans sa solitude d'avoir
brusquement l'impression angoissante et irré-
fragable que sa femme est morte, qu'elle l'a abandonné, il lui faudra réagir, faire un certain nombre
de fois le tour de la cellule, compter jusqu'à cent
entre deux passages du gardien, pour retrouver
la conviction qu'elle vit et que leur communauté
continue à exister.

La présence des camarades se manifestera
dans la prison aussi par ses efforts pour trouver,
en frappant contre les murs, le contact avec les
autres détenus, par les coups que frappe son

voisin et qu'il finit par percevoir, par la difficulté
de comprendre le message de celui-ci, par l'importance qu'acquiert cette compréhension, par la
conscience de la fraternité qui le lie à ce camarade
qui, découvert par les gardes, est emporté par
ceux-ci. Elle s'exprime également par les inscriptions qu'ont laissées sur les murs ceux qui ont été
incarcérés avant lui dans cette même cellule,
inscriptions où ils ont exprimé leur abattement,
leur courage, leur volonté de persister dans la
lutte et auxquelles il ajoute la sienne, adressée
individuellement à chaque détenu à venir :

« *Nous sommes avec toi.* »

Entre les deux termes de cette alternative,
d'une part la dépression, les menaces du néant
et de la folie, et d'autre part, le courage, l'acceptation du destin, la décision finale dépendra en dernière instance du fait que Kassner pourra ou ne
pourra pas faire vivre en soi la conscience du
combat que mènent dans le monde entier, et qu'ont
mené notamment, dans la révolution russe à laquelle
il a participé jadis, tous ceux auxquels le lie une
fraternité virile qui seule peut donner un sens
à l'existence des hommes. Son imagination lui
représente l'ennemi sous la forme

*d'un vautour enfermé avec lui dans une cage, et qui lui
arrachait des morceaux de chair à chaque coup de son bec
en pioche, sans cesser de regarder ses yeux qu'il convoitait,*

vautour qui s'éloigne chaque fois que, dans son
rêve, la musique intérieure qui l'envahit fait
revivre le combat et la fraternité. Il voit les
militants blessés, tués, ou, au contraire, vainqueurs ; il pense à la froideur et à l'inhumanité
de ce monde contre lequel il lutte avec eux,
monde qui condamne les hommes à l'appauvrisse-
ment psychique et à la solitude ; il voit l'inter-
minable défilé des jeunesses communistes sur la
Place Rouge, défilé qui dure plus de sept heures
et auquel participent des centaines de milliers
de jeunes gens et de jeunes filles qui, grâce à la
révolution, n'ont jamais vécu ni les difficultés
ni le combat et ignorent le temps du mépris ;
il voit Lénine mort sur la Place Rouge et entend
les paroles de sa femme prononcées à son enterre-
ment :

« *Camarades, Vladimir Ilitch aimait profondément le
peuple...* »

et lorsque les geôliers emportent son voisin qui
frappait sur le mur, lorsqu'il sent de nouveau la
solitude le menacer, il pourra s'appuyer, pour lutter
contre elle, sur cette autre réalité définitivement
triomphante : la fraternité de ceux qui, dans ce

temps du mépris, luttent partout dans le monde contre la barbarie :

> *Kassner, vidé de fraternité comme il l'avait été de rêves et d'espoir, demeurait suspendu au silence qui recouvrait les centaines de volontés tendues dans la termitière noire.*
> *Parler pour des hommes, dussent-ils ne jamais l'entendre !*
> *Camarades, autour de moi dans l'obscurité...*
> *Autant d'heures, autant de jours qu'il le faudrait, il préparerait ce qui devrait être dit aux ténèbres...*

Et cette fraternité se manifeste sous sa forme la plus haute : un homme que Kassner ne connaît pas, s'est livré, — peut-être spontanément, peut-être sur l'ordre du parti —, à la police en soutenant que le Kassner recherché, c'était lui, acceptant d'être tué à sa place pour le rendre ainsi à la liberté et à la lutte.

La seconde partie du récit est constituée par la fuite en avion vers la Tchécoslovaquie. Kassner sait qu'il ne sera pas en liberté — quitte à revenir par la suite en Allemagne sous une autre identité — tant qu'il n'aura pas franchi la frontière. L'organisation clandestine met à sa disposition un avion et un pilote ; cependant, le temps se couvre, la tempête est imminente. Il faut néanmoins partir tout de suite et, à nouveau, un homme, un camarade va risquer sa vie pour le sauver et le ramener là où l'exige la fraternité du combat.

La remarquable description de la lutte de

l'avion avec la tempête est, de toute évidence, influencée par Saint-Exupéry [1].

C'est pourquoi il nous paraît intéressant d'analyser ce qu'il y a de commun et ce qu'il y a de différent entre les scènes de vol chez Saint-Exupéry et cette première scène en avion chez Malraux. Pour nous limiter à l'essentiel, il nous semble que chez Saint-Exupéry, c'est la lutte contre les obstacles naturels qui crée la fraternité virile des combattants et l'unité entre eux et la nature, les opposant au monde mesquin des ronds-de-cuir et des bureaucrates, alors que chez Malraux, c'est la fraternité virile du combat pour la liberté — actualisé ici dans la lutte contre l'ouragan — qui s'épanouit en fraternité universelle et en panthéisme cosmique.

Dans l'avion, au sommet du danger, Kassner sent que, dans cette lutte contre la nature déchaînée, son soutien le plus sûr est encore la même fraternité, qui le lie, d'abord au pilote, puis à tous ceux qui de par le monde, dans les prisons, sous la torture, mènent le même combat :

> *Il sembla soudain à Kassner qu'ils venaient d'échapper à la gravitation, qu'ils étaient suspendus avec leur fraternité quelque part dans les mondes, accrochés au nuage dans*

---

1. De même que Saint-Exupéry avait probablement développé son image du conquérant en référence implicite à celle de Malraux.

un combat primitif, tandis que la terre et ses cachots conti-
nuaient sous eux leur course qu'ils ne croiseraient plus
jamais (...) les inscriptions dans les cellules, les cris, les
coups frappés au mur, le besoin de revanche étaient avec
eux dans la carlingue contre l'ouragan...

La troisième partie du récit relate l'arrivée de
Kassner à Prague où il retrouve de prime abord
la vie quotidienne, les hommes dans la rue, le
travail, les mains qui font tous les objets dont on
se sert. Il achète un paquet de cigarettes et essaie
de rejoindre sa femme et son enfant ; mais il
trouve la maison fermée ; un mot sur la porte lui
indique qu'Anna est allée à une réunion pour
la libération des antifascistes détenus en Allemagne.

Pendant ses pires instants de dépression, il
l'avait crue morte, il s'était cru séparé d'elle.
En réalité, elle avait toujours continué à lutter
pour lui et avec lui.

A la réunion, il rencontre des centaines d'hommes et de femmes et, plus d'une fois, il croit
reconnaître Anna parmi eux.

Un homme s'était sacrifié pour lui ; un autre
avait risqué sa vie pour lui permettre de parvenir
jusqu'ici ; des milliers d'hommes luttaient pour
sa liberté et celle de tous les hommes :

O dérision, appeler frères ceux qui ne sont que du même
sang.

Il retrouve ici la fraternité véritable, la ferveur
de la foule qui,

> *autour d'Anna invisible, répondait enfin au corps assommé*
> *contre le mur.*

Il s'était demandé bien des fois ce que valait la
pensée en face de la mort de l'individu :

> *Aucune parole humaine n'était aussi profonde que la*
> *cruauté mais la fraternité virile la rejoignait jusqu'au plus*
> *profond du sang, jusqu'aux lieux interdits du cœur où*
> *sont accroupies la torture et la mort...*

Plus tard, revenu à la maison, il retrouve Anna
et leur enfant et, prenant conscience à la fois de
l'intensité de leur union et du fait qu'elle n'existe
que par leur participation commune à la fraternité plus vaste de tous ceux qui luttent pour la
dignité de l'homme et contre l'oppression, Kassner
et Anna prononceront ensemble la prière solennelle
des chameliers de Mongolie :

> — *Et si cette nuit est une nuit du destin...*
> *Elle lui prit la main, la porta contre sa tempe, à l'en-*
> *vers, et, caressant contre elle son visage :*
> — *... bénédiction sur elle jusqu'à l'apparition de l'au-*
> *rore...*

Pour caractériser cet instant culminant du
récit, Malraux reprendra une des images clefs
de son œuvre romanesque, celle de la vie ou de la
mort des dieux, image qui aura revêtu cependant

dans cette nouvelle configuration un aspect
nouveau et une signification nouvelle : à la mort
des dieux se substitue leur naissance.

> *Un des instants qui font croire aux hommes qu'un dieu*
> *vient de naître baignait cette maison.*

Parvenus enfin à ce sommet de plénitude, non
seulement de ce récit en particulier mais peut-être
de toute l'œuvre romanesque de Malraux, instant
qui naît d'une fraternité libre de tout souci d'originalité et de tout égoïsme, Anna et Kassner
sentent qu'ils ne peuvent pas rester seuls et
isolés, qu'ils doivent retrouver les autres, le
fondement essentiel, le sol nourricier de leur
existence :

> « *J'ai envie de marcher, de sortir avec toi, n'importe*
> *où...* » *Ils allaient maintenant parler, se souvenir, racon-*
> *ter... Tout cela allait devenir la vie de chaque jour, un*
> *escalier descendu côte à côte, des pas dans la rue, sous*
> *le ciel semblable depuis que meurent ou vainquent des*
> *volontés humaines.*

La Condition humaine et *le Temps du Mépris*,
les deux romans de la communauté révolutionnaire, sont aussi dans l'œuvre de Malraux les
seuls récits dans lesquels on trouve deux êtres
qui s'aiment, ce qui est d'ailleurs naturel et cohérent, l'amour étant l'aspect que prend dans la
vie privée la communauté authentique des

hommes. Pour les mêmes raisons, on comprend
que dans cet univers de la communauté révolutionnaire les deux couples soient chaque fois des
couples de militants, que l'homme et la femme
participent, tous les deux, à la lutte. Il y a d'ailleurs
sur ce point une indication qui éclaire particulièrement bien la différence entre l'humanisme de
Saint-Exupéry et celui de Malraux. Les conquérants de Malraux : Perken, Garine, Claude,
ignorent l'amour et s'y refusent, mais lorsque
l'amour apparaît dans cette œuvre, c'est celui de
deux êtres égaux qui participent l'un et l'autre
au combat pour la liberté. Les personnages de
Saint-Exupéry, par contre, ont une structure
aristocratique et conservatrice. Chevaliers moyen-
âgeux liés à la technique moderne de l'aviation,
ils ressentent l'amour comme un élément essentiel de leur existence. La femme qu'ils aiment est
ce qui les lie à la vie, ce qui leur permet de résister
aux épreuves les plus dures et les empêche chaque
fois d'abandonner. Et pourtant, cette femme reste
malgré tout un être idéalisé, sans doute, mais
inférieur puisque aucun d'entre eux n'accepterait
qu'elle participe activement au combat. Fraternité et amour sont, dans cette œuvre, des réalités
complémentaires et essentielles, mais qui se situent
sur des plans différents alors qu'elles se situent

sur le même plan dans les deux romans de Malraux.

Revenons cependant à la communauté révolutionnaire dans l'œuvre de Malraux, et à son complément : l'amour. Nous savons qu'ils se rencontrent l'un et l'autre dans *la Condition humaine* et dans *le Temps du Mépris*. La différence de nature de la communauté dans les deux romans entraînera, cependant, une différence homologue dans la nature de l'amour.

Les révolutionnaires de Shangaï constituent, nous l'avons déjà dit, une communauté *problématique*, sans avenir, qui, tout en donnant une signification définitive à la vie de chacun de ses membres, ne peut les amener qu'à la défaite et à la mort [1].

Aussi bien, l'amour de Kyo et de May est-il un amour profond, intense, qui ne saurait être dépassé mais qui n'a pas d'avenir et s'arrêtera avec eux. Ni Kyo ni May ne sauraient, pour des raisons qui concernent la cohérence esthétique du roman, avoir d'enfants [2].

---

1. Quant à la reprise de leur combat dans l'Internationale communiste et dans la construction de la Russie Soviétique, elle nous paraît — ainsi que nous l'avons déjà dit — dans le roman, assez artificielle.

2. Il suffit de penser à la signification des enfants de militants qu'on rencontre effectivement dans le roman : celui d'Hemmelrich l'empêche de participer à la lutte et sera tué par la répression ; quant

Inversement, la communauté non problématique des combattants révolutionnaires dans *le Temps du Mépris* s'ouvre sur l'avenir et c'est pourquoi l'existence de l'enfant de Kassner et Anna est tout autant une nécessité esthétique de ce récit que l'était dans *la Condition humaine* l'absence d'enfants chez Kyo et May.

Comme *les Conquérants, la Condition humaine* et *le Temps du Mépris, l'Espoir* constitue dans l'œuvre de Malraux une étape nouvelle, celle de l'identification explicite avec les perspectives du parti communiste en tant que parti qui s'oppose aux tendances spontanées de la communauté révolutionnaire.

Au fond, c'est l'univers de *la Condition humaine* vu, non pas dans la perspective du groupe des révolutionnaires de Shangaï, mais dans celle des dirigeants de Hang-kéou. Tout au plus, faut-il ajouter qu'à la fin de l'ouvrage, Malraux, qui est un écrivain cohérent, tire toutes les conséquences de cette position, y compris celles que les dirigeants staliniens envisageaient peut-être mais qu'ils se refusaient à affirmer explicitement,

à Peï, qui remplit la fonction d'enfant de Tchen, il ralliera le communisme et la construction de l'U. R. S. S., se séparant par cela même de celui qui espérait voir son œuvre poursuivie par lui.

et arrive à nier, pour la première fois dans ses romans de la révolution, le caractère absolu, privilégié, et incontestable de celle-ci en tant que valeur première et fondamentale.

Ayant en effet, tout au long du livre, assigné à la discipline une valeur actuellement primordiale au nom de l'efficacité et de la victoire, ayant justifié à partir de cette conception le sacrifice de toutes les valeurs *immédiates* de la communauté révolutionnaire authentique, Malraux en arrive par la bouche du communiste Garcia à constater que la lutte essentielle n'est plus celle qui se livre entre la révolution et la réaction, l'humanisme et la barbarie, ni même entre le nationalisme et le communisme ou le nationalisme et le prolétariat, mais bien la lutte entre les partis organisés, et qu'il y en a au moins deux : le parti communiste et le parti fasciste qui ont tous deux pour enjeu la conquête du monde :

— ... *Au début de la guerre, les phalangistes sincères mouraient en criant: Vive l'Espagne! mais plus tard: Vivent les phalanges!... Êtes-vous sûr que, parmi vos aviateurs, le type du communiste qui au début est mort en criant: Vive le prolétariat! ou: Vive le communisme! ne crie pas aujourd'hui, dans les mêmes circonstances: Vive le Parti!...*

— *Ils n'auront plus guère à crier, car ils sont à peu près tous à l'hôpital ou dans la terre. C'est peut-être indi-*

*viduel. Atteignies crierait sans doute: Vive le Parti!
d'autres autre chose...*

— *Le mot parti trompe d'ailleurs. Il est bien difficile
de mettre sous la même étiquette des ensembles de gens unis
par la nature de leur vote, et les partis dont toutes les grosses
racines s'accrochent aux éléments profonds et irrationnels
de l'homme... L'âge des Partis commence, mon bon ami...*

(...)

« *N'exagérons pas notre victoire ; cette bataille n'est
nullement une bataille de la Marne. Mais enfin, c'est tout
de même une victoire. Il y avait ici contre nous plus de
chômeurs que de chemises noires, c'est pourquoi j'ai fait
faire, comme vous le savez, la propagande des haut-
parleurs. Mais enfin, les cadres étaient fascistes. Nous
pouvons regarder ce patelin en agitant les sourcils, mon
bon ami, c'est notre Valmy. Pour la première fois, ici,
les deux vrais partis se sont rencontrés...* »

Bien entendu, il ne faut ni surestimer ni sous-
estimer l'importance de ce passage ; *l'Espoir* est
fondé tout entier sur *la différence de nature* entre
les « deux vrais partis », entre le fascisme barbare
qui défend l'intérêt de quelques privilégiés et le
communisme révolutionnaire qui lutte pour le
triomphe de la dignité humaine et de la fraternité
universelle. Il n'en reste pas moins vrai qu'en
mettant, tout au long du récit, l'accent sur le
caractère primordial de la discipline par rapport
à toutes les autres valeurs, Malraux en arrive à
la fin de l'ouvrage, au moment où, comme il le
dit lui-même, « la guerre entre dans une phase

nouvelle », à entrevoir les conséquences extrêmes de cette perspective.

Nous dirions volontiers que le rapport entre le passage que nous venons de citer et l'ensemble de *l'Espoir* est analogue, bien qu'inverse, à celui que nous avons déjà rencontré entre la phrase isolée sur l'amour dans *la Voie royale* et l'univers du roman qui ignore et exclut l'existence de celui-ci. Dans l'un comme dans l'autre cas, il s'agit d'éléments qui ne font pas partie de l'univers du roman mais qui se situent dans le prolongement des lignes de force de cet univers, à un niveau où il se dépasserait, une fois, dans le sens de la communauté humaine et de la liberté, l'autre fois. dans le sens de la discipline rigide et de la barbarie,

Mais revenons à *l'Espoir*. C'est, parmi les récits de Malraux, à la fois le plus volumineux et le plus difficile à analyser à cause de la simplicité et de la pauvreté de structure de son univers, simplicité et pauvreté que, voulues ou non, l'écrivain Malraux a en tout cas dû ressentir puisque à la place d'un récit cohérent, semblable à ceux qui constituaient ses œuvres antérieures, il nous a donné un nombre important de scènes isolées et partielles dont il aurait pu continuer indéfiniment la répétition.

C'est pour cette même raison qu'il est très difficile

de se remémorer les personnages du récit. Au fond,
il n'y a pas de personnages individuels mais des
groupes de personnages à l'intérieur desquels les
individus se ressemblent à s'y méprendre. C'est
dire que chacun d'entre eux n'est qu'une fraction
d'un personnage collectif abstrait, les plus importants d'entre ceux-ci étant les *anarchistes* courageux et indisciplinés ; les *catholiques*, efficaces,
disciplinés mais handicapés par des scrupules de
conscience ; et les *communistes*, consciemment
disciplinés et hautement efficaces dans la mesure où
ils repoussent au second plan toutes les considérations susceptibles d'entraver l'efficacité. A côté de
ces trois principaux archétypes, existent d'autres
groupes moins importants : les artistes, les merce-
naires, le peuple, etc.

Or les trois types schématiques que nous venons
d'indiquer correspondent rigoureusement à l'image
stéréotypée que le parti communiste s'est efforcé
de donner de la révolution espagnole. Image qui,
dans la mesure où elle contenait une certaine vérité,
était en tout cas extrêmement partielle.

Quoi qu'il en soit cependant de cette validité,
deux conséquences découlent pour l'univers du
récit de cette perspective : l'une, extrêmement
importante, l'autre, plus périphérique.

La première est que la dimension politique des

conflits est éludée et qu'ils sont entièrement trans-
posés sur le plan militaire alors que, dans *la Condition humaine*, ils étaient au contraire vus dans toute
leur complexité.

Contentons-nous de relever l'opposition entre
anarchistes (auxquels il faudrait ajouter le
P.O.U.M. que Malraux mentionne à peine) et communistes. Dans la réalité, il s'agissait bien entendu
non seulement d'un problème de discipline mais
aussi de deux conceptions de la stratégie révolutionnaire, les mêmes qui opposaient, dans *la Condition humaine*, le groupe de Shangaï à la direction
de Hang-kéou.

Fallait-il pousser la révolution en avant, distri-
buer les terres aux paysans, donner aux conseils
ouvriers l'administration des usines et, par cela
même, grouper contre soi toutes les forces anti-
socialistes auxquelles on opposerait seulement
l'union des forces révolutionnaires nationales et
internationales, ou bien valait-il mieux se borner,
en Chine, à la lutte contre l'impérialisme étranger,
en Espagne, à la lutte contre le fascisme, dans l'espoir de sauvegarder l'alliance entre communistes et
démocrates bourgeois (nationalistes en Chine, répu-
blicains en Espagne), l'alliance entre le prolétariat
et la bourgeoisie démocratique ou nationaliste?

Sur ce point, l'antagonisme était radical entre,

d'une part, la gauche non communiste et, d'autre part, la direction stalinienne. Quelle que soit cependant la position à laquelle on se rallie, il est évident qu'il s'agissait d'un problème à la fois politique et militaire dont la gauche non communiste s'efforçait de diffuser la connaissance, et dont la direction communiste tentait au contraire de cacher l'aspect réel en le déplaçant tout entier sur le plan de la discussion militaire, vis-à-vis des anarchistes, et sur le plan du sabotage et de la trahison, vis-à-vis des communistes oppositionnels. C'est en ce sens que *la Condition humaine*, qui mettait en lumière les implications globales, politiques et militaires, de la divergence, était par cela même un livre trotskysant (bien que Malraux se ralliât plutôt aux positions de la direction du parti communiste) alors que *l'Espoir*, qui en élimine presque entièrement l'aspect politique, en la plaçant uniquement sur le plan de la discipline et de l'organisation, devient, par cela même, un livre écrit dans une perspective stalinienne.

Aussi, bien que ce soit dans ce récit que l'on trouve, dans la bouche du communiste Garcia, la phrase devenue par la suite célèbre selon laquelle ce qu'un homme peut faire de mieux dans sa vie, c'est de

> « *transformer en conscience une expérience aussi large que possible* »,

les valeurs du livre lui sont-elles rigoureusement
opposées puisque, douze lignes plus haut, le même
Garcia nous dit que pour l'intellectuel,

> « ... *le chef politique est nécessairement un imposteur,
> puisqu'il enseigne à résoudre les problèmes de la vie* en
> ne les posant pas ».

et que l'ouvrage est orienté tout entier vers la valo-
risation du commandement et du chef, la trame
centrale étant constituée par la transformation en
chef politique de Manuel, révolutionnaire enthou-
siaste et spontané [1].

Les quelques rares passages où les problèmes
politiques sont évoqués apparaissent d'ailleurs,
aujourd'hui, pour le moins surprenants. Il y a, il
est vrai, celui où l'intellectuel Alvear défend les
valeurs humaines fondamentales contre les néces-
sités de l'action. Mais Alvear est un personnage
secondaire et en face de ce passage, nous rencontrons les attaques contre les intellectuels et les
prises de position en faveur de Staline :

> *Les intellectuels croient toujours un peu qu'un parti, ce
> sont des hommes unis autour d'une idée. Un parti ressem-
> ble bien plus à un caractère agissant qu'à une idée !*

---

1. Il est intéressant de remarquer qu'à peu près à la même époque,
Sartre abordait ce même problème dans une perspective diamétrale-
ment opposée en écrivant sa nouvelle : *l'Enfance d'un Chef*. Malgré
l'opposition des deux textes, il est important de constater que le
problème se posait à un certain nombre d'intellectuels.

(...)

Le grand intellectuel est l'homme de la nuance, du degré, de la qualité, de la vérité en soi, de la complexité. Il est par définition, par essence, antimanichéen. Or, les moyens de l'action sont manichéens parce que toute action est manichéenne. A l'état aigu dès qu'elle touche les masses; mais même si elle ne les touche pas. Tout vrai révolutionnaire est un manichéen-né. Et tout politique.

(...)

— *Réfléchissez à ceci, Scali : dans tous les pays, — dans tous les partis — les intellectuels ont le goût des dissidents : Adler contre Freud, Sorel contre Marx. Seulement, en politique les dissidents, ce sont les exclus. Le goût des exclus dans l'intelligentsia est très vif : par générosité, par goût de l'ingéniosité. Elle oublie que, pour un parti, avoir raison ce n'est pas avoir une bonne raison, c'est avoir gagné quelque chose.*

— *Ceux qui pourraient tenter, humainement, et techniquement, la critique de la politique révolutionnaire, si vous voulez, ignorent la matière de la révolution. Ceux qui ont l'expérience de la révolution n'ont ni le talent d'Unamunoni même, souvent, les moyens de s'exprimer...*

— *S'il y a trop de portraits de Staline en Russie, comme ils disent, ce n'est tout de même pas parce que le méchant Staline, tapi dans un coin du Kremlin, a décidé qu'il en serait ainsi. Voyez, ici même à Madrid, la folie des insignes, et Dieu sait si le gouvernement s'en fout! L'intéressant serait d'expliquer pourquoi les portraits sont là. Seulement pour parler d'amour aux amoureux, il faut avoir été amoureux, il ne faut pas avoir fait une enquête sur l'amour. La force d'un penseur n'est ni dans son approbation ni dans sa protestation, mon bon ami, elle est dans son explication. Qu'un intellectuel explique pourquoi et comment les choses sont ainsi; et qu'il proteste ensuite, s'il le croit nécessaire (ce ne sera plus la peine, d'ailleurs).*

L'analyse est une grande force, Scali. Je ne crois pas aux morales sans psychologie.

Citons enfin un des rares passages qui effleure l'aspect politique du conflit entre anarchistes et communistes, et qui va extrêmement loin dans les conséquences qu'il tire de la perspective dans laquelle est écrit le récit. Il s'agit d'une discussion entre le communiste Garcia et le révolutionnaire chrétien Hernandez dans laquelle ce dernier expose les difficultés qu'il éprouve dans ses relations avec les communistes bien qu'il soit, sur les points essentiels, politiquement d'accord avec eux. Comme il s'agit d'un chrétien, ces scrupules sont en premier lieu d'ordre moral :

« *La semaine dernière, un de mes... enfin... vagues camarades, anarchistes ou se disant tel, est accusé d'avoir barboté la caisse. Il était innocent. Il fait appel à mon témoignage. Naturellement, je le défends. Il avait fait la collectivisation obligatoire du village dont il était responsable et ses hommes commençaient à étendre la collectivisation aux villages voisins. Je suis d'accord que ces mesures sont mauvaises, qu'un paysan qui doit donner dix papiers pour avoir une faucille devient enragé. Je suis d'accord que le programme des communistes sur cette question, par contre, est bon.*

» *Je suis en mauvais termes avec eux depuis que j'ai témoigné... Tant pis ; que voulez-vous, je ne laisserai pas traiter de voleur un homme qui fait appel à mon témoignage quand je le sais innocent.*

> *» Les communistes (et ceux qui tentent d'organiser quel-*
> *que chose en ce moment) pensent que la pureté du cœur de*
> *votre ami ne l'empêche pas d'apporter une aide objective*
> *à Franco, s'il aboutit à des révoltes paysannes...*
> *» Les communistes veulent faire quelque chose. Vous et*
> *les anarchistes, pour des raisons différentes, vous voulez*
> *être quelque chose... C'est le drame de toute révolution*
> *comme celle-ci. Les mythes sur lesquels nous vivons sont*
> *contradictoires : pacifisme et nécessité de défense, orga-*
> *nisation et mythes chrétiens, efficacité et justice et ainsi*
> *de suite. Nous devons les ordonner, transformer notre*
> *Apocalypse en armée, ou crever. C'est tout. »*

A partir de ce que nous venons de dire, nous pourrions remplir des pages et des pages de citations
qui réaffirment les thèmes fondamentaux du récit :
courage, désorganisation et indiscipline des anarchistes ; sens de la responsabilité, efficacité et discipline des communistes ; difficultés morales des
catholiques, qu'ils surmontent cependant sous l'influence des leçons tirées de la réalité et du combat ;
danger de mêler l'affectivité et la morale aux considérations politiques et militaires ; affirmation répé-
tée que toute crise est, en dernière instance, une
crise de commandement ; nécessité de l'organisation et de la discipline ; existence d'une fraternité
virile chez les combattants.

Nous nous contenterons, bien entendu, de quelques exemples :

A propos des anarchistes et des communistes :

... Pour la première fois, Puig, au lieu d'être en face d'une tentative désespérée, comme en 1934 — comme toujours — se sentait en face d'une victoire possible. Malgré ce qu'il connaissait de Bakounine (et sans doute était-il le seul de tout ce groupe qui l'eût entrelu) la révolution à ses yeux avait toujours été une Jacquerie. Face à un monde sans espoir, il n'attendait de l'anarchie que des révoltes exemplaires; tout problème politique se résolvait donc pour lui par l'audace et le caractère.

Lors d'une conversation avec Ximenez, Puig avait fait observer à celui-ci que l'attaque avait été bonne :

> — *Oui, vos hommes savent se battre, mais ils ne savent pas combattre.*

Ou encore, dans une conversation entre Manuel et Ramos :

> — *Je viens de passer une demi-heure à m'engueuler comme un con avec les copains, dit Ramos : il y en a plus de dix qui veulent aller dîner chez eux; et trois à Madrid !*
> — *C'est l'époque de la chasse, ils confondent. Résultat de tes négociations engueulatives ?*
> — *Cinq restent, sept partent. S'ils étaient communistes, tous resteraient...*

Ou entre Hernandez et Garcia :

> — *Que pensez-vous de ces barricades ? demanda Garcia, l'œil en coin.*
> — *La même chose que vous. Mais vous allez voir (...)*
> *Il faudrait élever la barricade de cinquante centimètres, moins serrer les tireurs, et en mettre aux fenêtres, en V.*
> — *Do..men..tion ? grogna le Mexicain dans un chahut de coups de fusils assez proches.*

— *Comment ?*

— *Ta documentation, hé, tes papiers !*

— *Capitaine Hernandez, commandant la section du Zocodover.*

— *Alors, t'es pas de la C.N.T. Alors, elle te regarde, ma barricade.*

On découvre un traître :

— *(...) j'ai envoyé trois copains lui régler son compte.*

— *Mais moi je l'avais destitué, que voulez-vous, et si la F.A.I. ne l'avait pas remis là...*

Garcia parlant à Magnin :

— *Pour moi, monsieur Magnin, la question est tout bonnement : une* action populaire *comme celle-ci, — ou une révolution — ou même une insurrection — ne maintient sa victoire que par une technique* opposée *aux moyens qui la lui ont donnée. Et parfois même aux sentiments. Réfléchissez-y, en fonction de votre propre expérience. Car je doute que vous fondiez votre escadrille sur la seule fraternité.*

» *L'Apocalypse veut tout, tout de suite ; la révolution obtient peu — lentement et durement. Le danger est que tout homme porte en soi-même le désir d'une apocalypse. Et que, dans la lutte ce désir, passé un temps assez court, est une défaite certaine, pour une raison très simple : par sa nature même, l'Apocalypse n'a pas de futur.*

» *Même quand elle prétend en avoir un (...) Notre modeste fonction, monsieur Magnin, c'est d'organiser l'Apocalypse... »*

Et plus loin, dans la bouche d'Enrique :

— *Les communistes sont disciplinés. Ils obéissaient aux secrétaires de cellule, ils obéissent aux délégués militaires ; ce sont souvent les mêmes. Beaucoup de gens qui*

*veulent lutter viennent chez nous par goût de l'organisation
sérieuse. Autrefois, les nôtres étaient disciplinés parce
qu'ils étaient communistes. Maintenant beaucoup deviennent communistes parce qu'ils sont disciplinés...*

Ou encore dans celle de Sembrano :

— *(...) Comment crois-tu qu'ils ont fait, en Russie ?
(...)*
— *Ils avaient des fusils. Quatre ans de discipline et de
front. Et les communistes, eux,* étaient *une discipline...*

A propos de l'importance du commandement :
Ximenez :

— *Discuter de leurs faiblesses est tout à fait inutile. A
partir du moment où les gens veulent se battre, toute crise
de l'armée est une crise de commandement.*

Heinrich :

— *Dans un cas comme celui-ci, la crise est* toujours [1]
une crise de commandement.

Manuel :

— *Ils ont foutu le camp parce qu'on ne les commandait
pas. Avant, ils se battaient aussi bien que nous.*

Les épisodes dont la présence fréquente constitue la principale beauté du livre sont ceux qui
mettent l'accent sur le courage des combattants
et la fraternité virile qui les lie les uns aux autres
ainsi qu'au peuple. Quelles que soient les réserves

1. Souligné par Malraux.

que l'on puisse faire sur la valeur littéraire de l'ensemble, il y a un certain nombre de scènes que l'on n'oublie probablement plus une fois qu'on les a lues ; telles celle de la descente des aviateurs blessés dans la montagne, l'attaque de l'Alcazar, l'émotion du paysan à qui on a demandé d'identifier son village et qui, du haut de l'avion, ne le reconnaît plus, etc. Le constater, c'est cependant constater du même coup que Malraux, qui est un très grand écrivain, a, délibérément ou non, pallié l'impossibilité d'un récit dense et structuré par cette série de croquis, émouvants sans doute et merveilleusement écrits, mais qui se succèdent sans même constituer un véritable montage.

Revenons cependant à quelques éléments du récit qui nous paraissent particulièrement importants et caractéristiques.

Le canevas du livre, assez vaguement dessiné, et qui tend à se dissoudre dans la masse des épisodes, est le double passage :

a) de la révolution espagnole de l'anarchie à l'organisation, de l'apocalypse à la discipline, de la guérilla à l'armée ;

b) du personnage de Manuel, du révolutionnaire sentimental, plein d'amour et d'enthousiasme, au communiste conscient qui maîtrise ses sentiments, et au chef militaire ;

ce passage, pour les forces révolutionnaires, entraîne une organisation de plus en plus stricte et rigide, et, pour Manuel qui devient un des chefs de cette organisation, un éloignement progressif des hommes et un isolement de plus en plus grand.

Prenons en effet Manuel à quatre instants du récit.

Au cours d'une conversation avec Ximenez, celui-ci lui dit :

> — *Bientôt, vous aurez vous-même à former de jeunes officiers. Ils veulent être aimés. Cela est naturel à l'homme. Et rien de mieux, à condition de leur faire comprendre ceci : un officier doit être aimé dans la nature de son commandement — plus juste, plus efficace, meilleur — et non dans les particularités de sa personne. Mon enfant, me comprenez-vous si je vous dis qu'un officier ne doit jamais séduire ?*
>
> (...)
>
> — *Il est toujours dangereux de vouloir être aimé.* (...) *Il y a plus de noblesse à être un chef qu'à être un individu* (...) : *c'est plus difficile...*

Au cours de la scène où, sortant du conseil de guerre qui a condamné à mort les fuyards, deux jeunes condamnés s'accrochent à ses jambes :

> — *On ne peut pas nous fusiller ! criait l'un d'eux. Nous sommes des volontaires ! Faut leur dire !*
>
> (...)
>
> — *On peut pas ! On peut pas ! cria l'autre à son tour.*
>
> (...)

« *Je ne suis pas le conseil de guerre* », *faillit répondre Manuel ; mais il eut honte de ce désaveu.*

(...)

« *Que dirais-je ?* » *pensait Manuel. La défense de ces hommes était dans ce que nul ne saurait jamais dire, dans ce visage ruisselant, bouche ouverte, qui avait fait comprendre à Manuel qu'il était en face de l'éternel visage de celui qui paie. Jamais il n'avait ressenti à ce point qu'il fallait* choisir entre la victoire et la pitié.

Plus tard, lorsqu'il raconte cette même scène à Ximenez :

« *Je savais ce qu'il fallait faire, et je l'ai dit. Je suis résolu à servir mon parti, et ne me laisserai pas arrêter par des réactions psychologiques. Je ne suis pas un homme à remords. Il s'agit d'autre chose.* (...) *Je prends sur moi ces exécutions : elles ont été faites pour sauver les autres, les nôtres. Seulement, écoutez : il n'est pas un des échelons que j'ai gravis dans le sens d'une efficacité plus grande, d'un commandement meilleur, qui ne m'écarte davantage des hommes. Je suis chaque jour un peu moins humain.* »

Enfin, à l'instant où le livre s'achève :

« *Les derniers soubresauts de la bataille grondaient au loin. Manuel, ses lignes établies, faisait le tour du village pour resquiller des camions, son chien derrière lui. Il avait adopté un splendide chien-loup, ex-fasciste, blessé quatre fois. Plus il se sentait séparé des hommes, plus il aimait les animaux : taureaux, chevaux militaires, chiens-loups, coqs de combat.* »

La nature de cette éducation de Manuel, des combattants révolutionnaires et du peuple espagnol par la réalité du combat ressort clairement :

tout ce qui est immédiatement et spontanément
humain doit être relégué et même aboli au nom
d'un souci exclusif d'efficacité. La thématique
essentielle de *l'Espoir* est formulée en quelques
lignes par Garcia :

> « *Il y a des guerres justes (...) — la nôtre en ce moment
> — il n'y a pas d'armées justes. Et qu'un intellectuel, un
> homme dont la fonction est de penser vienne dire, comme
> Miguel : je vous quitte parce que vous n'êtes pas justes,
> je trouve ça* immoral, *mon bon ami ! Il y a une politique
> de la justice, mais il n'y a pas de parti juste.* »

Et sans doute a-t-il raison mais peut-être
seulement en partie, car, entre la morale impuis-
sante que Malraux semble toujours attribuer
aux catholiques et aux anarchistes, et la subor-
dination des moyens à la fin qui a toujours été
la doctrine des théoriciens de l'État depuis
Machiavel jusqu'à Staline, il existe une troisième
position qui voit dans la relation moyens-fin
une totalité dans laquelle la fin agit sur les moyens
et inversement.

Mais il ne s'agit pas ici pour nous de discuter
le bien-fondé de la perspective de Malraux, ce qui
serait tout à fait déplacé dans le cadre d'une étude
de critique littéraire, mais seulement de montrer
que la structure même de cette perspective élimine entièrement une des dimensions importantes
des réalités que décrit l'ouvrage.

Pour terminer cette analyse plus schématique encore — et cela ne veut pas peu dire, nous le reconnaissons volontiers — que celle des autres écrits de Malraux, nous voudrions encore souligner deux caractéristiques du roman, lesquelles découlent, selon nous, de cette même structure.

Premièrement, comme dans tous les autres ouvrages de Malraux, la cohérence entre la vision globale et la vie privée des personnages est rigoureuse. C'est pourquoi, l'homme étant réduit au combat discipliné et à l'organisation militaire, il n'y a plus de place pour des relations érotiques ou amoureuses, de quelque nature qu'elles soient, entre les hommes et les femmes.

L'Espoir est un livre de combat dans lequel on ne trouve plus ni amour, ni érotisme, ni famille, ou, plus exactement, dans lequel ces éléments ne sont présents qu'en tant qu'obstacles aux valeurs du récit.

    « *La guerre rend chaste* »,

dit une fois Manuel, et en dehors de l'épisode de la transmission d'une lettre à la femme du commandant de l'Alcazar, de celui de la milicienne apportant leur repas aux combattants, et d'une allusion au fils de Caballero, prisonnier des fascistes à Ségovie et qui sera fusillé, tous les passages

concernant les femmes et la famille indiquent
seulement que leur présence serait nuisible, voire
fatale, aux combattants.

Ainsi, particulièrement caractéristique, le passage de la femme qui veut rester près de son mari :

> — *Tu crois qu'il faut partir ?*
> — *C'est une camarade allemande, dit Guernico à Gar-*
> *cia, sans répondre à la femme.*
> — *Il dit que je dois partir, reprit celle-ci. Il dit qu'il ne*
> *peut pas se battre bien si je suis là.*
> — *Il a sûrement raison, dit Garcia.*
> — *Mais moi je ne peux pas vivre si je sais qu'il se*
> *bat ici... si je ne sais même pas ce qui se passe...*
> (...)
> « *Toutes les mêmes, pensa Garcia. Si elle part, elle le*
> *supportera avec beaucoup d'agitation, mais elle le suppor-*
> *tera ; et si elle reste, il sera tué.* »
> (...)
> — *Pourquoi veux-tu rester ? demanda amicalement*
> *Guernico.*
> — *Ça m'est égal de mourir... Le malheur c'est qu'il*
> *faut que je me nourrisse bien et qu'ici on ne pourra plus ;*
> *je suis enceinte...*

Et plus tard, lorsque Garcia et Guernico se
retrouvent seuls :

> — *Le plus difficile, reprit Guernico à mi-voix, c'est*
> *cette question de la femme et des enfants...*
> *Et plus bas encore :*
> — *J'ai quand même une chance : ils ne sont pas là...*

Ou encore, dans la bouche de Manuel, lorsque
celui-ci raconte à Ximenez la scène des fuyards :

« ... *J'ai couché la semaine dernière avec une femme que j'avais aimée en vain, enfin... des années ; et j'avais envie de m'en aller. Je ne regrette rien de tout cela ; mais si je l'abandonne, c'est pour quelque chose. On ne peut commander que pour servir, sinon...* »

En second lieu, il faut noter le fait que *l'Espoir* décrit non pas la défaite de la révolution, mais bien la victoire à l'issue d'une bataille et que, dans le contexte du récit, cette victoire suggère celle de la révolution espagnole.

Il peut, bien entendu, y avoir à cela une explication très simple, à savoir que Malraux, qui a publié le roman en 1937, avant que la guerre ne fût terminée, n'a pas voulu, par la suite, modifier quoi que ce fût à un ouvrage déjà publié.

Nous reconnaissons volontiers que c'est là une hypothèse fort plausible. Mais il se peut aussi, — et nous estimons utile de le mentionner —, que ce refus de tenir compte des événements ultérieurs provienne d'une nécessité interne de la structure du récit : l'univers du livre étant centré sur l'obligation de sacrifier à la discipline, au nom de l'efficacité, toutes les autres valeurs, ce sacrifice risquerait en effet de paraître injustifié et dérisoire si, loin d'être efficace, il aboutissait, non pas à la victoire, mais à la défaite.

C'est peut-être la raison pour laquelle les derniers très brefs paragraphes qui terminent le livre débouchent sur une vision de paix et même d'avenir qui relègue la guerre dans le passé. Manuel, pendant le combat, avait en effet rompu avec la musique, les femmes et tout ce qui était jouissance individuelle, il avait dit à Gartner qu'il était séparé de la musique et il s'apercevait que ce qu'il souhaitait le plus, en cet instant où il était seul dans cette rue d'une ville conquise, c'était d'en entendre.

Mais ce qu'il écoute, ce n'est pas *l'Internationale* ou tout autre chant de combat, ce sont les symphonies de Beethoven et les *Adieux :*

> *Il sentait la vie autour de lui, foisonnante de présages, comme si, derrière ces nuages bas que le canon n'ébranlait plus, l'eussent attendu en silence quelques destins aveugles. Le chien-loup écoutait, allongé comme ceux des bas-reliefs. Un jour il y aurait la paix. Et Manuel deviendrait un autre homme, inconnu de lui-même, comme le combattant d'aujourd'hui avait été inconnu de celui qui avait acheté une petite bagnole pour faire du ski dans la Sierra.*
>
> *Et sans doute en était-il ainsi de chacun de ces hommes qui passaient dans la rue, qui tapaient d'un doigt sur les pianos à ciel ouvert leurs opiniâtres romances, qui avaient combattu hier sous les lourds capuchons pointus...*
>
> (...)
>
> *On ne découvre qu'une fois la guerre, mais on découvre plusieurs fois la vie.*
>
> *Ces mouvements musicaux qui se succédaient, roulés dans son passé, parlaient comme eût pu parler cette ville qui jadis avait arrêté les Maures, et ce ciel et ces champs*

éternels ; Manuel entendait pour la première fois la voix
de ce qui est plus grave que le sang des hommes, plus
inquiétant que leur présence sur la terre, — la possibilité
infinie de leur destin ; et il sentait en lui cette présence
mêlée au bruit des ruisseaux et au pas des prisonniers,
permanente et profonde comme le battement de son cœur.

Comme *le Temps du Mépris*, *l'Espoir* est un
livre qui approche de l'épique, mais qui ne nous
paraît pas non plus avoir réussi à l'atteindre,
bien que pour des raisons essentiellement différentes et même opposées. Dans *le Temps du Mépris*,
le dépassement de l'individu faisait problème,
et même si on montrait que le problème était
soluble, le dépassement réalisable, la présence
même de l'individu et du dépassement créait un
univers pré-épique. Comme l'avait dit Malraux
lui-même, le livre se terminait sur l'instant où
« un dieu venait de naître », alors que l'épopée
qui ne pose pas de problèmes et ne connaît pas
d'individus séparés de la communauté, suppose
précisément la présence réelle, incontestée et non
problématique des dieux.

L'Espoir apparaît, inversement, comme un
univers qu'on pourrait qualifier de post-épique
dans la mesure où l'individu, au lieu de se réaliser
dans la communauté et de constituer avec elle
une unité organique, se trouve nié dans sa spontanéité et sa plénitude par la discipline et l'organi-

sation. Au fond, Malraux est passé, avec ces deux récits dont l'univers est centré sur la réconciliation entre l'individu et la collectivité, du stade antérieur à cette réconciliation à celui où il a fait de la technocratie politique et militaire le véritable sujet de l'histoire. Pour le sociologue, le problème que pose ce passage est cependant beaucoup moins celui de l'évolution personnelle de Malraux, que celui de savoir si ce n'était pas là, à l'époque où ont été écrits les deux ouvrages, un processus plus général. Une fois de plus il s'agit de rappeler que l'écrivain ne développe pas des idées abstraites, mais crée une réalité imaginaire et que les possibilités de cette création ne dépendent pas en premier lieu de ses intentions mais de la réalité sociale au sein de laquelle il vit et des cadres mentaux qu'elle a contribué à élaborer. Aussi la première démarche qu'il faudra entreprendre pour répondre à la question posée sera sans doute celle de prospecter la littérature française entre les deux guerres pour voir dans quelle mesure on y trouve des écrits suffisamment importants qui ont réussi à décrire un univers centré sur la valeur de la spontanéité révolutionnaire, ou tout au moins sur l'unité de l'homme et de la communauté au lieu des œuvres centrées sur la valeur de la discipline et de l'efficacité.

En attendant il nous reste, pour terminer cette étude, à analyser *les Noyers de l'Altenburg*, dernier écrit de fiction de Malraux, paru en 1943, livre au premier abord assez curieux, puisqu'on sent à la lecture l'existence d'une unité interne assez stricte et rigoureuse, alors qu'il se présente comme une série de scènes isolées, situées à des époques différentes, ayant au moins deux héros différents et dont la liaison est loin d'être évidente. En fait, nous essaierons de montrer que l'unité du texte devient visible si on se rend compte qu'il s'agit d'un genre littéraire particulier beaucoup plus proche de l'essai que de la littérature romanesque ou épique.

Qu'est-ce qu'un essai ? En principe, Lukács l'a montré dans une étude célèbre, c'est une forme littéraire autonome qui se situe à mi-chemin entre la philosophie, expression conceptuelle d'une vision du monde, et la littérature, création imaginaire d'un univers de personnes individuelles et de situations concrètes. Entre les deux, l'essai est un genre intermédiaire dans la mesure où il pose des *problèmes conceptuels* (et les grands essais de l'histoire de la littérature posent plutôt des problèmes qu'ils ne donnent des réponses) *à l'occasion* de telle ou telle *situation concrète* ou de tel ou tel *personnage individuel*. C'est pourquoi l'essai a

toujours une dimension ironique puisqu'il traite
en apparence de la vie ou de la pensée de tel ou
tel personnage, ou bien raconte comment se sont
passés tels ou tels événements, alors qu'en réalité
personnages et événements ne sont que *l'occasion*
qui permet à l'essayiste de soulever un certain
nombre de problèmes à valeur universelle. Pour
préciser, il faut ajouter que la forme de l'essai est
très souvent, du point de vue historique et même
biographique, une forme de transition que l'auteur
adopte précisément parce que ni les questions ni
les réponses ne sont encore suffisamment mûres
pour être exprimées sous une forme directement
conceptuelle.

Ceci dit, il nous semble que *les Noyers de
l'Altenburg* ont une forme très proche de l'essai
sans être cependant un essai proprement dit
dans le sens strict du terme. Ils ont en commun
avec l'essai la double dimension, ils posent en
effet comme lui des *problèmes conceptuels à l'occasion* d'une série de *réalités individuelles et concrètes*
et ils s'en séparent par le fait qu'au lieu de prendre
ces personnages individuels ou ces situations
concrètes dans la réalité présente ou passée comme
l'ont fait quelques grands essayistes, ou dans la
littérature comme l'ont fait la plupart d'entre
eux, Malraux qui est écrivain a imaginé lui-même,

dans une série d'épisodes, les situations concrètes à travers lesquelles il a soulevé les problèmes dont il voulait entretenir les lecteurs ; ils s'en séparent aussi par le fait qu'ils ne se contentent pas de soulever des problèmes mais apportent une réponse plus ou moins élaborée, ce qui leur enlève la dimension ironique et remplace, sur le plan des idées, l'ironie spontanée propre à la plupart des essais par le développement d'une démonstration à peu près cohérente. C'est dans cette perspective qu'il faut lire, nous semble-t-il, les différents épisodes du livre qui vont alors présenter un ordre strict et irréversible dans l'exposition de ce qui en est le véritable sujet, la nouvelle conception de l'homme de Malraux, et les raisons qui l'ont poussé à abandonner le mouvement et l'idéologie communistes.

Cette évolution de Malraux est-elle un phénomène individuel ou au contraire un fait lié aux événements socio-politiques de l'époque, et, comme tel, aux courants idéologiques de la conscience collective, tout au moins dans les milieux intellectuels ? Comme chaque fois que dans cette étude nous avons soulevé des problèmes de ce genre, la réponse dépend cette fois aussi d'une recherche plus ou moins vaste et approfondie portant sur l'ensemble des documents de l'époque et, comme

cette recherche n'a pas encore été effectuée, nous
ne pouvons, bien entendu, que souligner la nécessité de l'entreprendre. Mentionnons néanmoins
que, de toute évidence, le pacte de non-agression
germano-soviétique de 1939, parfaitement compré-
hensible dans la perspective de la politique étrangère anticapitaliste (et par cela même aussi
antihitlérienne) de l'U.R.S.S., avait provoqué
une crise dans la conscience de nombreux intellectuels socialistes occidentaux, dans la mesure où
il montrait clairement une réalité beaucoup
plus profonde dont la plupart d'entre eux n'avaient
aucune conscience ; celle que l'appartenance au
mouvement communiste demandait pendant la
période stalinienne, ou tout au moins pouvait
demander, une option entre les intérêts immédiats de l'État soviétique considéré comme principale conquête du socialisme, et les intérêts immédiats de la société et du prolétariat du pays dans
lequel ils vivaient.

Ce problème, Malraux l'avait sans doute déjà
décrit pour la Chine dans *la Condition humaine*
et, à l'époque, bien que son récit ait mis en lumière
tout ce qu'il y avait de poignant et de tragique,
il avait néanmoins terminé le roman par l'affirmation que

le travail doit devenir l'arme principale du combat des classes. Le plan d'industrialisation... est actuellement à l'étude : Il s'agit de transformer en cinq ans toute l'U.R.S.S., d'en faire une des premières puissances industrielles d'Europe, puis de rattraper et de dépasser l'Amérique.

et par l'espoir que le développement historique intégrera le combat et le sacrifice des révolutionnaires de Shangaï dans la totalité de la lutte pour le socialisme.

En 1939, un problème très différent sans doute, — il ne s'agissait pas de lutte révolutionnaire mais d'alliances militaires et de stratégie dans la politique internationale — mais néanmoins analogue dans son schéma fondamental (nécessité d'une option entre les intérêts immédiats de l'U.R.S.S. et les intérêts immédiats de la société occidentale et des prolétariats occidentaux) se posait dans sa propre société, dans son propre pays. Nous savons que ce problème a causé une crise assez grave dont nous ne saurions, il est vrai, mesurer l'ampleur, chez les intellectuels de gauche en France, crise qui a été surmontée pour la plupart d'entre eux peu de temps après, lorsque le conflit ayant éclaté entre l'Allemagne et l'U.R.S.S., celle-ci s'est rangée dans le camp des Alliés, ce qui a de nouveau rendu manifeste le caractère de stratégie politique du pacte et le caractère profondément antihitlérien de la politique communiste et de la politique étrangère de l'U.R.S.S. Il n'en reste pas moins que la crise globale provoquée par le pacte germano-soviétique a pu être un facteur important dans le changement de perspective de Malraux et qu'une étude à visées sociologiques devait mentionner cette éventualité.

Revenons-en cependant au récit dont le premier épisode se passe en juin 1940 après la défaite ; plusieurs milliers de prisonniers sont parqués d'abord dans la cathédrale de Chartres, par la suite dans un chantier de travaux publics. Dans cette situation exceptionnelle, les préoccupations et les activités archaïques réapparaissent : construction des cagnas, recherche de la dernière boîte de conserves, des dernières miettes au fond de la poche, attroupement aux grilles pour attraper le morceau de pain qu'une femme apporte tous les jours en cachette aux prisonniers.

A un certain moment, dans la cathédrale, on distribue des cartes que les prisonniers peuvent envoyer à leurs familles ; quelques-uns écrivent des lettres plus longues ; on les prévient qu'elles ne seront pas transmises. Peu de temps après, dans le chantier, le vent apporte des feuilles volantes. Ce sont les lettres que les prisonniers

venaient d'écrire et que l'administration allemande avait jetées à tous les vents.

Quelques instants plus tard le narrateur rencontre un tankeur qui s'est remis à écrire :

> — *Tu fais un journal ?*
> *Il lève les yeux stupéfait :*
> — *Un journal ?*
> *Enfin il comprend :*
> — *Non... moi, ces trucs-là...*
> *Et, du ton de l'évidence :*
> — *J'écris à ma femme...*

Plus loin, parlant avec un autre prisonnier :

> — *Moi, j'attends que ça s'use...*
> — *Quoi ?*
> — *Tout... J'attends que ça s'use...*

En racontant ces faits, Malraux développe
explicitement sa nouvelle vision de l'homme.
A la base de la pensée marxiste et aussi des
ouvrages précédents de Malraux, il y avait la
conviction que tous les hommes tendent naturellement à donner un sens à leur vie et à affirmer par
cela même leur dignité. Sans doute, l'oppression,
les conditions économiques et sociales peuvent-
elles écraser et annihiler en eux cette tendance
naturelle à l'action et à la dignité, mais à travers
les structures oppressives qui changent continuellement au cours de l'histoire, il reste la seule réalité

humaine permanente, la condition humaine qui
est l'aspiration à la dignité et à la signification.

Aussi les révolutionnaires, à la fois intellectuels
et hommes d'action, ne font-ils dans cette perspective qu'aider les hommes à prendre conscience
des aspirations naturelles enfouies au fond d'eux-
mêmes, déformées par une civilisation oppressive,
en les ramenant à ce qui est leur vraie vocation,
le *faire* par la création de la communauté et par
cela même de l'histoire. Or, c'est précisément cette
vision que met en question ce premier épisode des
Noyers d'Altenburg.

Il existe effectivement non pas un *homme fondamental* mais un *homme éternel*; le récit le dit en
permanence :

> *Dans la masure babylonienne, faite de piliers trapus,
> de drains et de branches, ils sont maintenant trois qui
> écrivent sur leurs genoux, recroquevillés comme les momies
> du Pérou (...) Celui-là a un de ces visages gothiques, de
> plus en plus nombreux depuis que les barbes poussent. La
> mémoire séculaire du fléau. Le fléau devait venir, et voici
> qu'il est là. Je me souviens des mobilisés silencieux de
> septembre, en marche à travers la poussière blanche des
> routes et des dahlias de fin d'été, et qui me semblaient
> partir contre l'inondation, contre l'incendie; mais
> au-dessous de cette familiarité séculaire avec le malheur,
> pointe la ruse non moins séculaire de l'homme, sa foi
> clandestine dans une patience pourtant gorgée de désas-
> tres, la même peut-être, que jadis, devant la famine des
> cavernes.*

La présence des prisonniers dans la cathédrale de Chartres avait, elle aussi, une valeur symbolique.

> *Dès les premiers temps de la guerre, dès que l'uniforme eut effacé le métier, j'ai commencé d'entrevoir ces faces gothiques. Et ce qui sourd aujourd'hui de la foule hagarde qui ne peut plus se raser n'est pas le bagne, c'est le moyen âge (...)*
> *Chaque matin je regarde des milliers d'ombres dans l'inquiète clarté de l'aube; et je pense : c'est l'homme...*

Mais cet homme ne crée plus les dieux, les valeurs, il est au contraire celui qui depuis des milliers d'années « vit dans un demi-sommeil », qui ne change pas et qui, en face de l'histoire, n'a qu'une seule réaction, la subir, trouver le moyen d'exister à travers et malgré elle, et, lorsque cela devient difficile, opposer à ses créations anti-humaines, grandioses et barbares, ses ruses, sa patience millénaire et corrosive qui finit toujours par les user. L'homme éternel, le même à travers les âges et l'histoire significative, et changeante ; l'humanité et les « intellectuels » ; ce sont des réalités différentes et le plus souvent opposées.

> *J'ai cru connaître plus que ma culture parce que j'avais rencontré les foules militantes d'une foi, religieuse ou politique; je sais maintenant qu'un intellectuel n'est pas seulement celui à qui les livres sont nécessaires, mais tout homme dont une idée, si élémentaire soit-elle, engage et*

*ordonne la vie. Ceux qui m'entourent, eux, vivent au jour
le jour depuis des millénaires.*

Aussi pour l'intellectuel qui parle à travers
ce récit et qui sait maintenant que l'action n'est
pas l'actualisation d'une communauté virtuelle
mais toujours effective entre lui et l'humanité,
et qu'à partir de là l'idéologie révolutionnaire
était dans son ensemble erronée, des problèmes
nouveaux surgissent qu'il faut affronter. Ils
concernent à la fois ceux qui

vivent au jour le jour depuis des millénaires

et ceux dont une idée

engage et ordonne la vie;

ils concernent surtout leurs rapports mutuels.

*Ces rencontres, le vent inlassable les renvoie comme
il renvoie à la volée les lettres de mes compagnons. Que je
les interroge donc, que je les confronte donc aux miennes,
tandis qu'appelés par l'ondée de la nuit, les roses vers de
terres sortent à nouveau du sol durci par le piétinement
de cinq mille hommes — tandis que la vie continue jusqu'à ce qu'au fond fraternel de la mort se mêlent mes
questions et les siennes...*
Ici, écrire est le seul moyen de continuer à vivre.

Ces problèmes, le narrateur les abordera à
travers l'expérience de son père.

Le premier épisode a posé le problème théorique ; les deux suivants décrivent de manière

à peine transposée la situation historique, les forces en présence et l'expérience qui a amené Malraux à se séparer du mouvement révolutionnaire.

Le premier concerne l'opposition non conformiste, respectable, sympathique, mais qui s'est suicidée en laissant seulement un message ambigu et par cela même inutilisable, et comme exécuteurs testamentaires les intellectuels et les hommes d'action qui doivent se débrouiller tout seuls avec cet héritage. Le second concerne le stalinisme.

Rentré en Europe, le père du narrateur, Victor Berger, a retrouvé son propre père lorsque, quelques jours plus tard, celui-ci se suicide. C'était une personnalité essentiellement non conformiste. Maire de sa commune, il avait, devant l'hostilité insurmontable du village et de sa municipalité, abrité dans son propre domaine la synagogue et les cirques de passage.

Catholique croyant, révolté contre certains relâchements de l'Église, il avait d'abord protesté auprès de son curé, et, devant le refus de celui-ci :

> *Mais, Monsieur Berger, convient-il à un simple prêtre de discuter des décisions romaines ?*

était allé à Rome protester, formuler ses réserves.

> *Il avait fait le pèlerinage à pied. Président de diverses œuvres, il avait obtenu sans peine l'audience pontificale.*

Il s'était trouvé avec une vingtaine de fidèles dans une des chambres du Vatican. Il n'était pas timide, mais le pape était le pape et il était chrétien : tous s'étaient agenouillés, le Saint-Père était passé, ils avaient baisé sa pantoufle et on les avait congédiés (...) De retour, ses amis protestants le crurent prêt pour une conversion.

On ne change pas de religion à mon âge !

Désormais retranché de l'Église mais non du Christ, il assista chaque dimanche à la messe hors du bâtiment, debout au milieu des orties, dans un coin que fait la rencontre du transept avec la nef, suivant de mémoire l'office, attentif à percevoir, à travers les vitraux, le son grêle de la sonnette qui annonçait l'Élévation.

Finalement, il s'est suicidé, calmement, fermement, en acceptant son destin. Sa première conversation avec son fils reprenait, à peine plus tendue, la prière des chameliers tartares du *Temps du Mépris*.

> — *Si tu pouvais choisir une vie, laquelle choisirais-tu ?*
> — *Et toi ?*
> *Il a réfléchi assez longtemps et, tout à coup, il a dit avec gravité :*
> — *Eh bien, ma foi, quoi qu'il arrive, si je devais revivre, une autre vie, je n'en voudrais pas une autre que celle de Dietrich Berger...*

Comme les oppositionnels par rapport au parti, il a laissé par rapport à l'Église un testament ambigu.

> *Je crois ce qui s'est passé très douloureux. Vous savez que le testament était cacheté. La phrase : « Ma volonté formelle est d'être enterré religieusement » était écrite sur*

> *une feuille libre, posée sur la table de chevet où se trouvait*
> *la strychnine ; mais le texte avait été d'abord : « Ma volonté*
> *formelle est de n'être pas enterré religieusement. » Il a barré*
> *la négation après coup, de surcharges nombreuses... Sans*
> *doute n'avait-il plus la force de déchirer le papier et d'écrire*
> *à nouveau.*

Quant au jugement du narrateur sur le suicide, il est explicite :

> *Il m'est arrivé d'entendre bien des bêtises au sujet du*
> *suicide... mais devant un homme qui s'est tué fermement, je*
> *n'ai jamais vu un autre sentiment que le respect. Savoir*
> *si le suicide est un acte de courage ou non ne se pose que*
> *devant ceux qui ne se sont pas tués.*

Comme nous l'avons déjà dit, le troisième épisode pose à travers le récit de l'action de Victor Berger le problème du communisme officiel ; la transposition est à peine masquée.

Orientaliste, professeur à l'université de Constantinople, officier allemand [1], Victor Berger est amené à agir en Turquie, en partie avec l'accord des services secrets de l'ambassade allemande, en partie de manière indépendante et contre ces services.

État plurinational, menacé de dislocation, la Turquie est gouvernée par le sultan Abdul-Hamid. Celui-ci engage toute sa politique sur les

---

1. Le narrateur est alsacien, ce qui explique le fait que son père soit en 1914 officier allemand.

possibilités de développement du panislamisme,
qui lui semble pouvoir constituer le seul contre-
poids aux forces de dislocation. Hostile au sultan,
Victor Berger trouve le contact avec l'opposition
des Jeunes-Turcs ; il voit en elle l'avenir de la
Turquie et engage les services allemands à
l'appuyer. Il convainc ceux-ci et parvient à organiser avec leur aide un service de propagande
dont il fera, comme jadis Garine, un remarquable
instrument d'action.

> *De la propagande, simple décor, il était résolu à faire un*
> *moyen d'action politique.*

Une première révolution éclate. Abdul-Hamid
est déposé et remplacé par Mohamed V,

> *le pouvoir du Parlement acquis définitivement.*

Les services allemands se refusent à aller plus
loin et à appuyer plus longtemps Victor Berger
qui reste lié aux Jeunes-Turcs. Le mouvement
se développe. Un jour, un envoyé spécial de
Bülow demandera à Victor Berger :

> — *Quels sont les intentions, les... projets d'Enver-*
> *Pacha ?*
> — *Revenir au plus tôt, et prendre le pouvoir.*
> — *Bien que celui-ci ne soit pas sans faiblesse, je...*
> — *Nous le prendrons.*
> — *L'envoyé, à ce « nous », dressa l'oreille.*

Victor Berger était en effet passé entièrement du côté d'Enver et des Jeunes-Turcs.

Par la suite, avec ou sans l'appui de son gouvernement (celui-ci, en effet, trouve parfois intéressant de garder le contact avec les Jeunes-Turcs et même de les appuyer), Victor Berger soutient Enver-Pacha qui prend le pouvoir et fait de la Turquie un État moderne possédant une armée bien organisée.

Or Enver représente lui aussi une idéologie supranationale, le touranisme et, malgré les suspicions de l'ambassade d'Allemagne, Victor Berger devient un des agents de propagande de cette idéologie à travers l'Asie. Un jour, cependant, roué de coups par un fou fanatique qui lui reproche de n'être pas Turc, il

> *regagne sa maison, furieux, rompu et inexplicablement délivré d'un charme : tout à coup la vérité était là, abrupte : le Touran qui animait les nouvelles passions turques, qui avait peut-être sauvé Constantinople, le Touran n'existait pas.*

Si l'action d'Enver et la sienne propre avaient eu quelque efficacité, c'était dans la mesure où elles correspondaient aux intérêts réels de certaines tribus et où elles pouvaient s'appuyer sur ce qui, au bout du compte, s'était avéré dans un certain sens une force effective : le panislamisme d'Abdul-Hamid :

> *Il savait désormais ce qu'on pouvait attendre de ces gens. Ils se battraient volontiers pour Enver, général vainqueur devenu le gendre du calife. A condition qu'il les payât bien, et que le risque fût modéré (contre l'Angleterre, ils y eussent regardé à deux fois). Au nom du Touran ? soit. L'Islam eût suffi. D'ailleurs, là où mon père laissait quelque trace, c'était grâce à d'anciens agents panislamiques d'Abdul-Hamid...*

Derrière le touranisme d'Enver, il y avait tout simplement les intérêts de l'État turc. Une explication tentée sans espoir, par loyalisme, avec Enver, ne donne, bien entendu, aucun résultat.

> *Cette discussion lui semblait vaine. Gravement malade à Ghazni, il avait pris son parti d'une erreur qui avait tant engagé de lui-même, mais avec le retour de la santé la haine venait : comme s'il eût été trompé, non par lui-même, mais par cette Asie Centrale menteuse, idiote et qui se refusait à son propre destin — et par tous ceux dont il avait partagé la foi.*
> *— J'aurais dû envoyer d'abord un musulman... dit Enver.*

Dans tout cela, la transposition de la situation contemporaine est évidente : il faut, bien entendu, lire Russie pour Turquie, gouvernement tsariste pour Abdul-Hamid, panslavisme pour panislamisme, révolution de Février appuyée par les puissances occidentales pour première révolution turque appuyée par l'Allemagne, communisme pour touranisme, et enfin probablement Staline pour Enver-Pacha [1].

A travers ces épisodes, arrêtons-nous quelque peu à la figure de Victor Berger, intellectuel devenu homme d'action parce que c'est, selon lui, la seule façon d'engager et d'ordonner sa vie selon une idée (à son oncle, qui définit l'homme par ses secrets, il opposera la phrase brève et laconique : « l'homme est ce qu'il fait ».)

Le texte nous indique, dans la conversation ci-dessous mentionnée avec l'envoyé spécial de Bülow, les raisons pour lesquelles il s'est engagé dans le touranisme :

> — *Comment se fait-il, demanda-t-il, que vous vous sentiez à ce point... intéressé personnellement pour le touranisme ? Passionné, si j'ose dire... (...)*
> — *Il est peu d'actions que les rêves nourrissent au lieu de les pourrir, dit-il, ne souriant qu'à demi. Et, souriant davantage : « Que me proposeriez-vous de mieux ? »*

Les trois premiers épisodes de l'ouvrage ont permis à Malraux de définir sa nouvelle vision de l'homme et d'indiquer les raisons pour lesquelles il s'est séparé à la fois du communisme officiel qui n'est en réalité que l'idéologie d'un État, et de l'opposition moralement respectable sans

---

1. Bien que la prise du pouvoir en 1917 ait été effectuée sous la direction de Lénine — la transposition simplifie tout de même un peu.

doute, mais qui s'est elle-même suicidée. Deux pages particulièrement importantes décrivent le retour de Victor Berger à Marseille. Il y découvre la réalité quotidienne, les gens vivant au jour le jour, les vitrines des magasins,

les choses les plus simples, les rues, les chiens

mais il y découvre aussi que lorsqu'on a été engagé dans l'action, on ne peut plus revenir en arrière. La phrase d'un anarchiste que les journaux venaient de publier lui trotte dans la tête :

L'individu tué n'a aucune importance! Mais après, il arrive une chose inattendue : tout est changé, les choses les plus simples, par exemple, les chiens...

Il se rappelle une grande déception de sa jeunesse pieuse :

Ce soir comme alors, il se sentait libre, — d'une liberté poignante qui ne se distinguait pas de l'abandon.

Le quatrième épisode, le plus important de l'ouvrage, est le colloque d'Altenburg dont le modèle est probablement pris dans les rencontres de Pontigny. Comme Pontigny, Altenburg est, en effet, un lieu où se rencontrent les premiers penseurs d'Europe. La discussion à laquelle participe Victor Berger, auréolé de son prestige d'homme d'action qui fascine encore longtemps les intellectuels alors qu'en réalité il a précisément

cessé de l'être, s'engage après le départ de la
plupart des grands intellectuels, à l'exception
d'un seul : Mölberg, anthropologue, africaniste,
probablement une sorte de mélange de Frobenius,
de Spengler et de Malraux lui-même, dont le
monde scientifique attend avec impatience le
grand ouvrage synthétique de philosophie hégélienne de l'histoire. En réalité Mölberg a découvert lui aussi, comme le narrateur, la rupture
entre les idées et l'homme éternel et à partir de là
l'impossibilité de toute philosophie de ce genre.
Aussi sous l'influence de son expérience africaine,
a-t-il détruit ce qui était déjà écrit de son ouvrage
et accroché les feuilles

> *aux basses branches d'arbres d'espèces diverses, entre le
> Sahara et Zanzibar.*

Le colloque lui-même est préparé par plusieurs
épisodes significatifs ; nous nous contenterons d'en
mentionner deux :

Le récit du dernier voyage que Walter [1] a fait
avec Nietzsche devenu fou pour ramener celui-ci
à Bâle dans un wagon de troisième classe. A la
sortie d'un tunnel, Friedrich chantait

> *un poème inconnu de nous ; et c'était son dernier poème,
> Venise, je n'aime guère la musique de Friedrich. Elle*

---

1. Oncle du narrateur et animateur des colloques de l'Altenburg.

*est médiocre ; mais ce chant était... eh bien, mon Dieu :
sublime.*

En entendant ce chant, Walter avait éprouvé
que certaines œuvres humaines étaient plus fortes
que la mort, que la folie que l'absurdité de la vie,
qu'elles

> *résistent au vertige qui naît de la contemplation de nos
> morts, du ciel étoilé, de l'histoire...*

Victor Berger serait enclin à lui donner raison
mais dans sa conscience le chant de Nietzsche se
mêle au visage de son grand-père mort à Reich-
bach ; pour la première fois dans [e livre, le thème
central, celui de la relation entre la création et la
vie apparaît.

> *Ce privilège dont parlait Walter, qu'il était plus puis-
> sant contre le ciel étoilé que contre la douleur ! et peut-être
> eût-il eu raison d'un visage d'homme mort, si ce visage n'eût
> été un visage aimé... Pour Walter, l'homme n'était que le
> « misérable tas de secrets » fait pour nourrir ces œuvres qui
> entouraient jusqu'aux profondeurs de l'ombre sa face
> immobile ; pour mon père, tout le ciel étoilé était empri-
> sonné dans le sentiment qui avait fait dire à un être déjà
> tout habité par le désir de la mort, à la fin d'une vie sans
> éclat et souvent douloureuse : « Si je devais choisir une
> autre vie, je choisirais la mienne... »*

Plus loin nous apprenons que Mölberg modelait
et ornait sa chambre d'extraordinaires petits personnages en glaise qu'il appelait ses monstres ; ils
étaient tous

> *d'une tristesse saisissante, celle des monstres de Goya qui semblent se souvenir d'avoir été hommes... tels étaient bénéfiques, tels autres maléfiques. Il en envoyait à ses amis.*

Bien entendu ces monstres dépourvus de sens qui ont la nostalgie d'une humanité qu'ils ne peuvent plus atteindre, correspondent au message que maintenant, après avoir détruit son ouvrage, Mölberg peut encore transmettre.

En décrivant le colloque, nous ne pouvons pas entrer dans le détail des opinions qui s'affrontent et nous laisserons aussi de côté l'ironie de Malraux vis-à-vis d'un certain nombre d'intellectuels. La figure centrale est celle de Mölberg qui, ayant abandonné son ouvrage qui devait donner

> *une interprétation de l'homme rigoureuse et puissamment cohérente,*

développe maintenant la thèse spenglérienne des civilisations rigoureusement fermées l'une par rapport à l'autre, sous lesquelles il n'existe d'autre réalité permanente que le paysan informe. Les cultures ne sont pour lui que des ensembles de formes significatives imposées à un matériel neutre et indifférent, l'homme éternel n'est pas historique.

> — *L'homme fondamental est un mythe, un rêve d'intellectuels relatif aux paysans : rêvez donc un peu à l'ouvrier fondamental ! Vous voulez que pour le paysan le monde ne*

soit pas fait d'oubli ? Ceux qui n'ont rien appris n'ont rien
à oublier. Un sage paysan, je sais ce que c'est ; mais ce
n'est pas l'homme fondamental ! il n'existe pas un homme
fondamental, augmenté, selon les époques, de ce qu'il pense
et croit : il y a l'homme qui pense et croit, ou rien. Une
civilisation n'est pas un ornement, mais une structure.
Tenez ! Nous connaissons tous la passion de notre ami
Walter : ces deux gothiques et cette figure de proue sont,
vous le savez, du même bois. Mais sous ces formes il n'y
a pas le noyer fondamental, il y a des bûches.

Quant à l'idée d'histoire, c'est simplement la
forme que notre culture a essayé d'imposer à cette
nature indifférente ; cependant, derrière l'histoire
il y a peut-être encore, dit Mölberg.

« *quelque chose qui est à l'histoire ce qu'elle est à la nation,*
à la révolution. Peut-être notre conscience du temps, —
je ne dis pas : notre concept, — qui est récente... »

Le colloque est terminé. La réponse qui s'en
dégage est, bien que plus ample et plus étoffée, la
même que celle que Walter développait en parlant
de son voyage avec Nietzsche : il existe une réalité
humaine absurde, dépourvue de forme, à laquelle
les créations des intellectuels, les cultures imposent des significations temporaires, localisées sans
doute, mais qui sont le seul espoir humain de donner un sens provisoire à la vie et de trompher de
l'absurde et du néant.

Mais, en sortant de la salle, les mêmes réserves
que lors de la conversation avec Walter sur le

voyage de Nietzsche prendront forme dans la conscience de Victor Berger. Il découvre la réalité qui les fonde et les justifie, la réalité qu'avaient oubliée les participants du colloque : les Noyers de l'Altenburg.

En effet, entre la bûche, le bois comme matière brute et la forme gothique créée par le statuaire, il y a l'arbre vivant qui se développe et qui respire.

> *Il avait atteint les grands arbres : sapins déjà pleins de nuit, une goutte encore transparente à l'extrémité de chaque aiguille, tilleuls tout bruissants de moineaux ; les plus beaux étaient deux noyers : il se souvint des statues de la bibliothèque. (...)*
>
> *Mon père pensait aux deux saints, à l'Atlante, le bois convulsé de ces noyers, au lieu de supporter le fardeau du monde, s'épanouissait dans une vie éternelle en leurs feuilles vernies sur le ciel et leurs noix presque mûres, en toute leur masse solennelle au-dessus du large anneau des jeunes pousses et des noix mortes de l'hiver. « Les civilisations ou l'animal, comme les statues ou les bûches... » Entre les statues et les bûches, il y avait les arbres, et leur dessin obscur comme celui de la vie. Et l'Atlante, et la face de Saint-Marc ravagée de ferveur gothique s'y perdaient comme la culture, comme l'esprit, comme tout ce que mon père venait d'entendre — ensevelis dans l'ombre de cette statue indulgente que se sculptaient à elles-mêmes les forces de la terre, et que le soleil au ras des collines étendait sur l'angoisse des hommes jusqu'à l'horizon.*
>
> *Il y avait quarante ans que l'Europe n'avait pas connu la guerre.*

La guerre est, à côté de l'abandon de l'idéologie révolutionnaire, la deuxième réalité fondamentale

autour de laquelle est organisé l'univers de l'ouvrage. Si les épisodes qu'il raconte se situent à la
fois entre 1914 et 1940, c'est peut-être aussi pour
montrer qu'il ne s'agit pas de telle ou telle guerre
particulière, mais de *la guerre* comme telle
dans ses rapports avec les hommes et, au-delà de
celle-ci de tout ce que les cultures créées par les
intellectuels et les hommes d'action peuvent avoir
d'antihumain et de barbare.

C'est en face de la guerre que les *Noyers de l'Altenburg* prennent toute leur importance.

Les intellectuels de l'Altenburg, les Walter, les
Mölberg n'avaient vu qu'une dualité simplifiée :
d'une part, l'homme éternel vivant au jour le jour,
le paysan, le bois informe, indifférent et neutre,
de l'autre côté la création des intellectuels, les
œuvres d'art, les cultures.

En réalité, loin d'être indifférent et neutre,
l'homme permanent, l'homme qui vit au jour le
jour, le paysan de Mölberg, était vivant comme les
noyers du parc d'Altenburg et s'il ne faisait pas
l'histoire, il s'efforçait dans sa vie quotidienne de
vivre, de manger, de se vêtir, d'aimer les autres
hommes, d'avoir des enfants et d'être heureux.
C'est dire qu'il n'était pas passif par rapport aux
cultures, mais qu'il les départageait en séparant
ce qui en elles était favorable à la poursuite de la

vie et du bonheur, de ce qui était nuisible et mal-
sain, et que s'il ne résistait que rarement de manière
active à la barbarie, il n'agissait pas moins par
sa permanence, sa patience millénaire qui finis-
saient toujours par user les institutions et les cultures menaçantes pour sa nature et ses aspirations.
A partir de là, nous n'avons plus besoin d'insister
longuement sur les trois derniers épisodes, particulièrement importants, de l'ouvrage, mais dont la
signification devient facile à saisir.

Deux d'entre eux nous montrent ce que peuvent
devenir les hommes d'action et les intellectuels
créateurs lorsque leur activité s'exerce en faveur
de la guerre et à l'encontre de l'homme et de la vie.

Victor Berger, attaché au service de contre-
espionnage, assiste un jour à une scène où le capitaine Wurtz essaie de se servir de l'amour d'un
enfant pour sa mère, de ce qu'il y a de plus intime
de plus profond, de plus essentiel dans la vie, pour
démasquer une femme qu'il soupçonne d'être une
espionne, et lorsqu'il sent la répugnance de Victor
Berger à l'endroit de ces procédés, il lui objectera :

> « De tels actes, dont vous avez peur, sauvent la vie de
> milliers de nos soldats. »

Un peu plus tard, Victor Berger est détaché avec
le même capitaine Wurtz pour accompagner le pro-

fesseur Hoffman, remarquable homme de science,
qui a mis au point avec précision et rigueur un nouveau gaz de combat extrêmement efficace, et qui
doit organiser la première attaque expérimentale
contre les lignes russes ; devant la répulsion du
capitaine Wurtz attaché encore aux anciennes
valeurs de courage militaire, Hoffman reprendra
d'ailleurs les anciennes réponses de Wurtz à Berger :

> — *Si vous vous placez d'un point de vue supérieur,*
> *dit le professeur impératif, les gaz constituent le moyen*
> *de combat le plus humain (...)*
>   *Pour le capitaine, ces deux hommes étaient des ennemis.*
> *Des hommes de parole et de chiffres, des « intellectuels » qui*
> *voulaient détruire le courage. Ils le spoliaient. Son cou-*
> *rage était réel : pris par les Russes, condamné à mort, il*
> *avait refusé de donner la moindre information bien qu'on*
> *lui proposât cent mille roubles et la liberté en Russie —*
> *et s'était évadé. Cette fermeté, à ses yeux, justifiait tout,*
> *lui donnait tous les droits. Il balançait sa tête ronde au*
> *nez en trompette, comme importuné par des mouches*
> *absentes.*
>   *— Ce sera un grand malheur, dit-il, si nous devons voir*
> *disparaître de l'empire le vieux sens allemand de la guerre.*
>   *Mon père écoutait, regardait Wurtz devenir moraliste*
> *(sans parler de l'autre moraliste). Comme on regarde un*
> *fou auquel on ressemble un peu. Le capitaine avait défendu*
> *contre lui l'arrivée de l'enfant au nom des soldats qu'il*
> *sauvait ; et le professeur reprenait l'argument. Allons, cette*
> *chambre était pleine de saints !*

L'épisode suivant c'est l'attaque elle-même qui,
heureusement ou malheureusement, n'est pas faite

seulement par les intellectuels, les techniciens, par
Wurtz, Hoffman et Victor Berger, mais, sur leurs
indications, par la masse des soldats, par ces hommes de la vie au jour que Malraux nous présente
avec leurs conversations portant sur la vie quotidienne, à l'aube, dans les tranchées en attendant
l'attaque.

Et lorsque enfin l'attaque se déclenche, ce sera
la merveilleuse description du sursaut humain, de
la résistance contre la barbarie, de ces soldats qui,
arrivant dans les tranchées où se trouvaient des
milliers de Russes gazés, oublient la guerre et toute
réalité immédiate pour ressentir avant tout la
solidarité avec le prochain, victime du destin barbare qui lui impose la civilisation. Négligeant
l'ordre qui leur a été donné d'avancer, ils se char-
gent de leurs ennemis gazés, et, rebroussant chemin, se ruent sur les ambulances pour qu'on leur
porte secours. Victor Berger, désemparé d'abord,
ne comprenant pas ce qui se passe, sera cependant,
au fur et à mesure qu'il avance, saisi par le mouvement et finira comme les autres par se charger
d'un Russe gazé et par revenir en arrière. Ce faisant
il croise des camions pleins de soldats qui l'exâmi-
nent avec stupéfaction :

> *... Ils l'observaient avec l'inquiétude de ceux qui ren-
> contrent le premier indigène d'un pays inconnu; ainsi,*

bientôt, regarderaient-ils le premier gazé. (...) *Mon père les regardait, lui aussi, l'un après l'autre :* le barrage de la pitié ne serait pas efficace plusieurs fois. Il n'y a qu'à mourir que l'homme ne s'habitue pas.

Cette troisième partie se termine par la conscience que prend Victor Berger, à l'instant où il croit qu'il est lui-même gazé,

> *d'une évidence fulgurante, aussi péremptoire que ce sifflement ténu dans sa gorge : le sens de la vie était le bonheur, et il s'était occupé, crétin ! d'autre chose que d'être heureux ! Scrupules, dignité, pitié, pensée n'étaient qu'une monstrueuse imposture, que les appeaux d'une puissance sinistre dont on devait entendre au dernier instant le rire insultant. Dans cette dévalade farouche sous le poing de la mort, il ne lui restait qu'une haine hagarde contre tout ce qui l'avait empêché d'être heureux. Il lui sembla entrevoir l'ambulance ; il tenta de courir encore plus vite ; ses jambes tournèrent à vide, l'univers chavira d'un coup, la forêt bondit dans un ciel qui se trouva en même temps sous ses pieds.*

Le dernier épisode nous ramène en 1940, au camp de Chartres. Le narrateur n'est tourmenté que par un seul problème : qu'est-ce que l'homme :

> *... je ne pense qu'à ce qui tient contre la fascination du néant. Et, de jour perdu en jour perdu, m'obsède davantage le mystère qui n'oppose pas, comme l'affirmait Walter, mais relie par un chemin effacé la part informe de mes compagnons aux chants qui tiennent devant l'éternité du ciel nocturne, à la noblesse que les hommes ignorent en eux — à la part victorieuse du seul animal qui sache qu'il doit mourir.*

Et le livre se termine sur le récit de l'attaque à laquelle participe le narrateur et.pendant laquelle il se trouve enfermé dans un char avec trois cama-rades : Bonneau, souteneur, qui vit en grande partie dans l'imaginaire ; Léonard, pompier au casino de Paris, qui, ayant couché une fois par hasard avec la danseuse-étoile, revit sans cesse ce grand bonheur de sa vie ; Pradé, que la première guerre a empêché de s'instruire et qui pense à son fils,

> la seule part d'absolu de cette humiliante, morne et inquié-tante aventure qui s'appelle la vie,

son fils dont il espère faire un homme instruit. Une camaraderie virile, intense et indéfinissable s'établit entre les quatre hommes. A un certain moment, ils ont l'impression d'être tombés dans une fosse où ils sont à la merci du premier obus qui arrivera sur eux. Pradé imagine déjà l'avenir de son fils irrémédiablement compromis! En fait, ils réussissent à se dégager :

> Ce n'était pas pour cette fois-ci... La guerre n'est pas finie... peut-être redeviendrons-nous vivants demain.

Le lendemain, les combattants trouvent devant eux un village évacué par les hommes dans la zone de combat. Les canards, les poules, les œufs, les ustensiles de la vie quotidienne sont encore là,

actualisant la présence permanente de ceux qui
sont partis et reviendront bientôt :

> *Devant moi, sont deux arrosoirs, avec leurs pommes en*
> *champignon que j'aimais quand j'étais enfant; et il me*
> *semble soudain que l'homme est venu des profondeurs du*
> *temps seulement pour inventer un arrosoir...*
>
> (...)
>
> *Nous et ceux d'en face, nous ne sommes plus bons qu'à*
> *nos mécaniques, à notre courage et à notre lâcheté; mais la*
> *vieille race des hommes que nous avons chassée et qui n'a*
> *laissé ici que ses instruments, son linge et ses initiales sur*
> *des serviettes, elle me semble venue, à travers les millé-*
> *naires, des ténèbres rencontrées cette nuit, — lentement,*
> *avarement chargée de toutes les épaves qu'elle vient d'aban-*
> *donner devant nous, les brouettes et les herses, les charrues*
> *bibliques, les niches, et les cabanes à lapins, les fourneaux*
> *vides...*

Et l'image finale du livre est celle de « deux très
vieux paysans », assis sur un banc, qu'ils aperçoi-
vent soudain. Ce sont les paysans dont Mölberg
disait qu'ils constituent la masse sans forme, ceux
qui vivent au jour le jour, et pourtant ici, en face
de la barbarie mécanique de la guerre, ils révèlent
brusquement leur véritable signification :

> — *Alors, grand-père, on se chauffe ?*
>
> (...)
>
> *C'est elle qui répond:*
> — *Qu'est-ce qu'on pourrait faire ? Vous, vous êtes*
> *jeunes; quand on est vieux, on a plus que d' l'usure...*

Ce sont les mots mêmes qu'avait prononcés le
soldat au commencement du livre : « *J'attends que*

ça s'use », et, brusquement, le narrateur comprend, dans cette lutte éternelle entre le risque de barbarie qu'implique la culture et la vie fondamentale, séculaire et patiente, la véritable fonction de cette dernière qui permet et assure chaque fois la survivance et la renaissance de l'homme :

> *Accordée au cosmos comme une pierre... Elle sourit pourtant, d'un lent sourire retardataire, réfléchi : par-delà un terrain de football aux buts solitaires, par-delà les tourelles des chars brillants de rosée comme les buissons qui les camouflent, elle semble regarder au loin la mort avec indulgence, et même — ô clignement mystérieux, ombre aiguë du coin des paupières — avec ironie...*
>
> *Portes entrouvertes, linge, granges, marques des hommes, aube biblique où se bousculent les siècles, comme tout l'éblouissant mystère du matin s'approfondit en celui qui affleure sur ces lèvres usées ! Qu'avec un sourire obscur reparaisse le mystère de l'homme, et la résurrection de la terre n'est plus que décor frémissant.*
>
> *Je sais maintenant ce que signifient les mythes antiques des êtres arrachés aux morts. A peine si je me souviens de la terreur ; ce que je porte en moi, c'est la découverte d'un secret simple et sacré.*
>
> *Ainsi, peut-être, Dieu regarda le premier homme...*

Nous arrêtons ici notre étude pour plusieurs raisons qui ne sont peut-être pas indépendantes les unes des autres.

La première est que *les Noyers de l'Altenburg* sont le dernier écrit de Malraux qui présente encore dans une très grande mesure le caractère d'un ouvrage de fiction. Après cela, on le sait, Malraux entreprendra une œuvre nouvelle, importante sans doute mais d'un caractère entièrement différent : ses études sur l'art dont une analyse plus poussée devrait établir tout d'abord la nature pour déterminer s'il s'agit effectivement d'études scientifiques ou plutôt d'essais dans lesquels l'analyse des œuvres artistiques offre à Malraux *l'occasion* de poser, sur le plan conceptuel, un certain nombre de problèmes, et de suggérer un certain nombre de réponses.

La deuxième est que, dans l'ouvrage suivant tout au moins, *les Voix du Silence*, toute idée de valeur humaine universelle (aussi bien celle de la condition humaine en tant que virtualité d'aspiration révolutionnaire à la dignité et à la création de l'histoire, que celle de l'homme éternel en tant qu'aspiration au bonheur et résistance à la barbarie, Kyo, May, Katow, Kassner, Manuel, aussi bien que les prisonniers et les paysans des *Noyers de l'Altenburg*) a entièrement disparu.

La troisième enfin est qu'avec la seconde guerre mondiale s'achève, non seulement la période sur laquelle porte notre recherche actuelle et dont le présent travail marque une première étape, mais encore une période particulièrement importante dans l'histoire de l'Europe industrielle et capitaliste : celle que nous appellerions volontiers la grande crise structurelle de l'Europe et dont les deux guerres mondiales, le fascisme italien, la crise économique de 1929-1933 et le national-socialisme n'ont été que les manifestations les plus importantes.

Depuis la fin de la seconde guerre mondiale, en effet, toute une série de changements qualitatifs sont intervenus dans la vie économique sociale et culturelle des sociétés industrielles occidentales, changements que, bien entendu, nous ne sommes pas en mesure d'analyser ici.

Contentons-nous de mentionner les deux plus importants d'entre eux : la découverte de l'énergie nucléaire avec les conséquences qu'elle a entraînées sur le plan de la stratégie militaire et de la politique internationale et, plus importante encore probablement, la création de mécanismes de régulation économique et d'intervention étatique qui se sont avérés suffisamment efficaces pour éviter jusqu'aujourd'hui toute crise sérieuse de surproduction, et dont on peut admettre avec une certaine vraisemblance qu'ils éviteront, peut-être pour longtemps, peut-être à jamais, le retour d'une crise du type de celle de 1929-1933. Étudiée du point de vue où nous nous situons, l'histoire du capitalisme occidental semble se diviser en trois grandes périodes :

a) Celle du capitalisme libéral et de son essor au cours de la seconde moitié du XIXe siècle et pendant les premières années du XXe siècle, essor lié à la possibilité d'une expansion coloniale prolongée et continue.

b) Celle de la grande crise structurelle du capitalisme occidental qui s'étend de 1912 à 1945 à peu près, et qui tire son origine en premier lieu du ralentissement puis de l'arrêt des possibilités de pénétration économique dans des pays nouveaux (auxquelles s'ajoutait, à partir de 1917, la disparition de deux marchés sous-développés particulièrement importants : le marché russe, et, plus tard, à cause des guerres civiles permanentes, le marché chinois).

c) L'avènement, depuis la seconde guerre mondiale, d'une société capitaliste avancée qui, grâce à la création de puissants mécanismes d'intervention étatique et de régulation de l'économie, peut se passer de l'exportation massive de capitaux et investir sur le marché interne.

On constate à quel point, au-delà de son importance particulière pour l'œuvre de Malraux ou pour l'histoire de ses idées philosophiques et politiques, la fin de la seconde guerre mondiale constitue un tournant primordial dans l'histoire de la société occidentale dans son ensemble, et peut-être, ainsi que nous l'avons déjà dit, l'évolution idéologique de Malraux est-elle en grande partie l'expression de ce changement du monde dans lequel il vivait et à partir duquel il a écrit ses œuvres.

Dans cette étude, nous avons essayé, dans la mesure du possible, d'éviter les jugements de valeur d'ordre esthétique ou politique et cela, tout en sachant bien, comme nous l'avons déjà dit ailleurs, que leur élimination totale est impossible et que le chercheur peut seulement essayer de réduire au maximum l'incidence de ces jugements sur son travail. Qu'on nous permette cependant de dire ici que les liens étroits que nous avons pu établir entre l'évolution de l'œuvre de Malraux et l'histoire culturelle, sociale et politique de l'Europe Occidentale depuis la fin de la première guerre mondiale, ainsi que la cohérence interne de ses écrits que nous nous sommes efforcé de mettre en lumière semblent suggérer que nous nous trouvons en présence d'un écrivain particulièrement représentatif et que son évolution pose, dans le double sens de sa nature et des dangers qu'elle recèle, les problèmes principaux que soulèvent les rapports entre la culture et la phase la plus récente de l'histoire des sociétés industrielles occidentales.

Disparition des perspectives et des espoirs révolutionnaires, naissance d'un monde où tous les

actes importants sont réservés à une élite de spécialistes (qu'on peut appeler créateurs ou technocrates selon qu'il s'agit de la vie de l'esprit ou de la
vie économique, sociale et politique), réduction
de la masse des hommes à de purs objets de l'action
de cette élite, sans aucune fonction réelle dans la
création culturelle et dans les décisions sociales,
économiques et politiques, difficulté de poursuivre
la création imaginaire dans un monde où elle ne
peut pas prendre appui sur des valeurs humaines
universelles, autant de problèmes qui, manifestement, concernent aussi bien le dernier stade de
l'œuvre de Malraux, que l'évolution récente de nos
sociétés ; ajoutons aussi, puisque au début de cette
étude nous avons rapproché la théorie des élites
créatrices du dernier Malraux de la position implicite de Heidegger qui se dégage de « *Sein und
Zeit* », qu'il y a, entre l'ouvrage de 1926 et ceux qui
ont suivi la seconde guerre mondiale, entre le livre
de Heidegger et les essais esthétiques de Malraux,
une différence analogue à celle qui sépare le capitalisme d'alors, qui était un capitalisme en crise,
du capitalisme réorganisé d'aujourd'hui : la disparition de l'importance essentielle de l'angoisse.

Ce ne sont là, cependant, que des hypothèses
qu'il faudra préciser et vérifier ultérieurement.

L'œuvre de Malraux est-elle l'expression plus

ou moins typique de la pensée et de l'activité d'un groupe social particulier ? S'inscrit-elle dans une structure plus vaste comprenant d'autres œuvres avec lesquelles on pourrait dégager une relation structurale ? Si oui, quelle relation existe-t-il entre ces structures de la vie intellectuelle, qu'il nous reste encore à dégager, et les structures de la vie économique, sociale, politique entre les deux guerres en France et en Europe Occidentale ? Quelles sont les relations entre l'évolution de Malraux et celle des autres intellectuels et écrivains qui ont, eux aussi, à la même époque, abandonné les valeurs révolutionnaires ? Quelles sont les œuvres plus ou moins importantes de la littérature française entre les deux guerres, écrites dans une perspective humaniste, qui affirment l'existence de valeurs humaines universelles ? Quelles sont les structures de leurs univers ?

Nous nous sommes borné à énumérer ces problèmes auxquels nous ne saurions pour l'instant apporter de réponse sérieuse pour rappeler que la présente étude ne constitue qu'un premier palier, provisoire et surtout partiel, dans le cadre d'une recherche beaucoup plus vaste sur la pensée, la littérature et la société françaises entre les deux guerres, recherche que nous essaierons d'entreprendre au cours des années à venir.

Cette étude était déjà publiée lorsque nous nous sommes aperçu que, dans l'Être et le néant (p. 615-638), Sartre développe contre Heidegger et contre Malraux (auquel il attribue seulement la position de l'Espoir selon laquelle « la mort transforme la vie en destin ») une analyse très proche de celle que nous avons mise en lumière en étudiant les Conquérants et la Voie royale. Sans doute, l'action historique ne jouit-elle d'aucun privilège dans ce livre radicalement individualiste mais, pour Sartre, l'homme se définit par le projet fondamental et les projets secondaires qui s'y insèrent, dans la perspective desquels la mort à venir n'est pas une possibilité du sujet mais, au contraire, une donnée extérieure, un empêchement imprévu, inattendu, dont il doit tenir compte, en lui conservant son caractère spécifique d'inattendu. Ces projets enlèvent ainsi toute importance décisive à la conscience de la mort jusqu'au jour où la mort inévitable détruit rétroactivement la valeur de ces projets.

Toute influence consciente étant exclue, le fait que deux écrivains de cette importances développent en France, à si peu d'intervalle, des positions à la fois complexes et aussi rapprochée, laisse supposer l'action de facteurs transindividuels et probablement sociaux ; mais pour l'instant cette constatation pose seulement un problème et nous ne possédons aucune hypothèse qui puisse nous aider à l'élucider.

Nouveau roman et réalité

Après ces deux exposés d'écrivains, je vous parlerai maintenant dans une perspective bien différente, celle du sociologue. Il y a en effet, entre le point de vue du sociologue et celui de l'écrivain une différence analogue à celle qui existe entre le point de vue du coureur ou de l'athlète et celui du psychologue ou du physiologue qui étudient la structure psychique ou physiologique de leur comportement.

Il n'en reste pas moins vrai que les deux approches peuvent être tout aussi bien contradictoires que complémentaires. Sans parler de l'éventualité

La présente étude est le texte d'une intervention à une table ronde organisée à Bruxelles avec Nathalie Sarraute et Robbe-Grillet, texte auquel j'ai incorporé une analyse de romans de Robbe-Grillet publiée dans la Revue Médiations n° 4, 1962.

Les interventions de Nathalie Sarraute et de Robbe-Grillet ont été publiées par la revue de Sociologie de l'Université de Bruxelles n° 2, 1963.

toujours possible d'un sociologue ou d'un critique ou, respectivement, d'un psychologue ou d'un physiologue se trompant et élaborant des théories erronées, il se peut, en effet, que le coureur ou l'athlète ne connaissent pas les structures psychiques et physiologiques qui leur permettent de réaliser leurs performances, ou que l'écrivain ne soit pas entièrement conscient du mécanisme de sa création, et ceci indépendamment de la qualité respective de ces performances ou de cette création. Heureusement, il arrive très souvent que les deux perspectives se complètent et s'éclairent mutuellement. Ce sera, dans une très grande mesure, le cas aujourd'hui puisque aussi bien, sans être ni sociologues ni critiques, Nathalie Sarraute et Alain Robbe-Grillet nous ont parlé en théoriciens, ce qui signifie qu'ils ont fait — brillamment d'ailleurs et avec beaucoup de pénétration — œuvre de critiques littéraires.

Parlant en troisième lieu et en sociologue, ce que j'aurai à dire ne sera donc, dans une très grande mesure, qu'un complément aux deux exposés que vous venez d'entendre. Il sera bon, néanmoins, de commencer par souligner ce qui, dans ces exposés, me paraît, non seulement valable, mais particulièrement important, et aussi ce qui me sépare — bien que ce soient là

des divergences, en dernière instance, secondaires
— de l'analyse de Nathalie Sarraute.

Commençons par un point commun aux deux
exposés : leur profession de foi de réalisme littéraire. En effet, alors que de nombreux critiques
et une grande partie du public voient dans le
nouveau roman un ensemble d'expériences purement formelles et, dans le meilleur des cas, une
tentative d'évasion hors de la réalité sociale,
deux des principaux représentants de cette école
viennent de vous dire, au contraire, que leur
œuvre était née d'un effort aussi rigoureux et
aussi radical que possible pour saisir, dans ce
qu'elle a de plus essentiel, la réalité de notre
temps. Mon commentaire des exposés et de
l'œuvre des deux écrivains se proposera en premier lieu d'illustrer et de concrétiser cette affirmation qui me semble à la fois importante et
valable.

Un autre élément commun aux deux exposés
qu'il me semble utile de souligner, est l'affirmation que si ces deux écrivains ont adopté une
forme différente de celle des romanciers du
xixe siècle, c'est en premier lieu parce qu'ils
avaient à décrire et à exprimer une réalité humaine
(le sociologue dirait une réalité sociale, dans
la mesure où, pour lui, toute réalité humaine

est sociale) différente de celle qu'avaient à décrire
et à exprimer ces derniers.

Enfin, l'exposé de Nathalie Sarraute me paraît
remarquable de pénétration et de vérité lorsqu'elle
démontre comment les habitudes psychiques,
les structures et les catégories mentales anciennes
qui persistent dans la conscience de la plupart
des gens les empêchent de saisir la réalité nouvelle,
laquelle est essentielle dans la mesure où elle
structure effectivement la vie quotidienne des
hommes, même si nombre d'entre eux n'en sont
pas conscients. Le seul point où je crains que son
métier d'écrivain ne l'ait empêchée de saisir
l'importance de la réalité sociale et historique
est la manière dont Nathalie Sarraute conçoit
le processus du changement de la réalité qui a
rendu nécessaire le passage du roman classique
au nouveau roman, et les forces qui ont contribué
à le réaliser. Je crains que, dans ce processus,
Nathalie Sarraute ne surestime l'importance des
écrivains et ne sous-estime implicitement celle
de tous les autres hommes. Parlant (à juste titre)
du progrès des recherches littéraires, Nathalie
Sarraute les imagine un peu trop, à mon avis,
sur le mode de l'histoire des sciences physico-
chimiques. Il semble qu'il existe pour elle une
réalité humaine donnée une fois pour toutes

(analogue à la réalité cosmique) que les écrivains, comme les hommes de science, explorent les uns à la suite des autres, créant ainsi à travers la chaîne des générations un simple déplacement de l'intérêt vers des secteurs nouveaux, que les anciens problèmes une fois éclaircis, il importe désormais d'explorer. C'est parce que Balzac et Stendhal ont analysé la psychologie du personnage et, par cela même, généralisé et rendu banale sa connaissance, que, selon Nathalie Sarraute, celle-ci ne présente plus guère d'intérêt et que les écrivains ultérieurs, Joyce, Proust, Kafka, ont dû s'orienter vers des réalités plus fines et plus subtiles, ouvrant ainsi un chemin que les romanciers d'aujourd'hui doivent s'efforcer de continuer à leur tour.

En fait, il me semble que sur ce point, Robbe-Grillet a vu plus clair. Il n'y a pas, dans le domaine humain, de réalité immuable, donnée une fois pour toutes, qu'il s'agit seulement d'explorer avec une finesse accrue à travers la succession des générations d'artistes et d'écrivains. L'essence de la réalité humaine est elle-même dynamique et change au cours de l'histoire ; de plus, ce changement est, à un degré inégal bien entendu, l'œuvre de *tous* les hommes et si les écrivains y ont leur part, elle n'est cependant ni exclusive ni même prépondérante.

Si l'histoire et la psychologie du personnage deviennent de plus en plus difficiles à décrire sans tomber dans l'anecdote et le fait divers, ce n'est pas seulement parce que Balzac, Stendhal ou Flaubert l'ont déjà décrite, mais parce que nous vivons dans une société différente de celle dans laquelle ils vivaient, une société dans laquelle l'individu comme tel, et, implicitement, sa biographie et sa psychologie ont perdu toute importance vraiment primordiale et sont passées au niveau de l'anecdote et du fait divers. Comme l'a dit Robbe-Grillet dans son exposé, si le nouveau roman décrit de manière différente les relations d'un jaloux avec sa femme, l'amant de celle-ci et les objets qui les entourent, ce n'est pas parce que l'auteur cherche à tout prix une forme originale, mais parce que la structure même dont participent tous ces éléments a changé de nature. En effet, la femme et il faudrait ajouter l'amant et le jaloux lui-même sont devenus objets et, dans l'ensemble de cette structure et de toutes les structures essentielles de la société contemporaine, les sentiments humains (qui sont et ont toujours été l'expression des relations interhumaines et des relations entre les hommes et le monde matériel, naturel ou manufacturé) expriment maintenant des relations dans lesquelles les

objets ont une permanence et une autonomie que
perdent progressivement les personnages.

Après ces quelques remarques préliminaires
sur deux exposés qui me paraissent être des
documents particulièrement importants pour la
compréhension de la littérature contemporaine,
permettez-moi — puisque aussi bien, je vous
parle en sociologue — de soulever le problème de
la nature des transformations sociales qui ont
effectivement créé le besoin d'une forme romanesque nouvelle, et aussi d'illustrer à la lumière
de quelques exemples la manière dont certains
traits essentiels de cette réalité humaine nouvelle
se trouvent exprimés dans l'œuvre de Nathalie
Sarraute et de Robbe-Grillet.

Il n'est, bien entendu, pas possible de faire,
dans le cadre d'un bref exposé, une histoire globale
des sociétés occidentales depuis le début du
xixe siècle. Je me contenterai donc, par la force
des choses, de mentionner quelques points particulièrement importants pour le problème qui
nous occupe aujourd'hui, celui du nouveau roman.

Je prendrai pour point de départ une corrélation qui me paraît, de prime abord, hautement
suggestive.

Sur le plan littéraire, la transformation essentielle porte en tout premier lieu — Nathalie

Sarraute et Robbe-Grillet viennent tous deux
de nous le dire — sur l'unité structurale person-
nage-objets, modifiée dans le sens d'une *disparition plus ou moins radicale du personnage et
d'un renforcement corrélatif non moins considérable de l'autonomie des objets.*

Or, nos recherches sur la forme romanesque
dans le groupe de sociologie littéraire de l'Institut
de l'Université de Bruxelles nous avaient déjà
amené à l'hypothèse que la forme romanesque
est, parmi toutes les formes littéraires, la plus
immédiatement et la plus directement liée aux
structures économiques dans le sens étroit du
terme, aux structures de l'échange et de la production pour le marché. Dans cette perspective,
il me paraît significatif de constater que, dès 1867
et même dès 1859, alors que personne ne pensait
encore aux problèmes littéraires que viennent
de soulever Nathalie Sarraute et Robbe-Grillet,
Karl Marx, étudiant les principales transformations entraînées dans la structure de la vie sociale
par l'apparition et le développement de l'économie, les situait précisément sur le plan du
couple individu-objet inerte et soulignait le transfert progressif du coefficient de réalité, d'autonomie et d'activité du premier au second. C'est
la célèbre théorie marxienne du *fétichisme de la*

marchandise ou, pour employer le terme adopté à peu près unanimement dans la littérature marxiste depuis les écrits de Lukács, de la *réification*.

Si encourageantes pour notre hypothèse et si significatives que soient cependant les concordances entre les analyses théoriques de Marx, au XIX⁰ siècle et les découvertes d'un certain nombre d'écrivains contemporains, elles nous semblent néanmoins encore trop générales pour qu'une recherche sociologique puisse s'en contenter. Il reste à se demander, en effet, comment s'explique le décalage de près d'un siècle qui sépare la mise en lumière du phénomène de la réification de l'apparition du roman sans personnage.

Au fond, la question qui se pose est la suivante : existe-t-il, soit une relation intelligible, soit une homologie entre l'histoire des structures réificationnelles et celle des structures romanesques ? Pour y répondre, il faut tenir compte, à mon avis, de quatre éléments décisifs dont il s'agira de définir la nature, à savoir :

a) La réification en tant que processus psychologique permanent agissant depuis plusieurs siècles, sans interruption, dans les sociétés occidentales productrices pour le marché.

· et trois éléments particuliers qui déterminent

l'aspect concret des structures réificationnelles dans l'histoire de ces sociétés, et, par cela même, la périodisation de celles-ci :

b) L'économie libérale qui, jusqu'au début du xxe siècle, maintient encore la fonction essentielle de l'individu dans la vie économique et, à partir de là, dans l'ensemble de la vie sociale.

c) Le développement, à la fin du xixe siècle et surtout au début du xxe, des trusts, des monopoles et du capital financier, qui entraîne un changement qualitatif dans la nature du capitalisme occidental, changement que les théoriciens marxistes ont désigné comme le passage du capitalisme libéral à l'impérialisme. La conséquence de ce passage — dont le tournant qualitatif se situe vers la fin de la première décade du xxe siècle — a été en premier lieu, du point de vue qui nous occupe, *la suppression de toute importance essentielle de l'individu et de la vie individuelle à l'intérieur des structures économiques et, à partir de là, dans l'ensemble de la vie sociale.*

d) Le développement, au cours des années qui ont précédé la deuxième guerre mondiale et surtout depuis la fin de celle-ci, d'une intervention étatique dans l'économie, et la création, grâce à cette intervention, de mécanismes d'autorégulation qui font de la société contemporaine une

troisième étape qualitative dans l'histoire du capitalisme occidental.

Supposant que les concepts d'économie libérale, de monopoles, de trusts, de capital financier
et d'intervention étatique sont plus ou moins
connus, nous nous contenterons d'insister ici
sur celui de réification.

Qu'entendons-nous par ce mot ? Tel que le
décrit Marx dans le premier chapitre du *Capital*
sous le terme de *fétichisme de la marchandise*,
le phénomène est extrêmement simple et facile
à comprendre.

La société capitaliste, dans laquelle tous les
biens sont produits pour le marché, diffère de
manière essentielle de toutes les autres formes
antérieures (et probablement ultérieures) d'organisation sociale de la production. Ces différences
revêtent naturellement des aspects multiples.
Ceux-ci, cependant, sont le plus souvent dérivés
d'une première différence fondamentale : l'absence,
dans la société capitaliste libérale, de tout orga-
nisme capable de régler de manière consciente
à la fois la production et la distribution à l'intérieur
d'une unité sociale quelconque.

De tels organismes existaient dans toutes les
formes de société pré-capitalistes, qu'il s'agisse
d'une société primitive vivant de chasse ou de

pêche, ou, au moyen âge, de la famille paysanne ou bien de l'unité constituée par le château du suzerain et un certain nombre de familles paysannes dans le village, astreintes à fournir soit des corvées, soit des redevances ; qu'il s'agisse même jusqu'à un certain point de l'économie marchande de la ville européenne à ses débuts (bien qu'ici le plan ait existé sous la forme d'une sorte de conscience non thématisée et translucide et qu'une étude approfondie pourrait probablement y trouver les premières manifestations du phénomène de la réification).

Cette régulation de la production pouvait être traditionnelle, religieuse, oppressive, etc., elle avait néanmoins un caractère conscient (ou du moins translucide comme dans le cas de la ville du moyen âge). De même, elle est consciente dans une société socialiste ou à caractère socialiste dans laquelle la production est organisée par une combinaison centrale du plan.

Or, dans la société libérale classique, il n'existe précisément à aucun niveau une régulation consciente de la production et de la consommation. Bien entendu, la production y est tout de même réglée et on n'y produit jamais, à la longue, que la quantité de blé, de chaussures ou de canons correspondant à la demande payante et, par conséquent, à la consommation effective de la société. Mais cette régulation se fait sur un mode *implicite*, étranger à la conscience des individus, s'imposant à ceux-ci comme l'action mécanique d'une force extérieure. Elle se fait à travers le marché, la loi de l'offre et de la demande et surtout à travers les crises qui corrigent périodiquement les déséquilibres.

Sur le plan immédiat des consciences individuelles, la vie économique prend l'aspect de l'égoïsme rationnel de l'*homo economicus*, de la recherche exclusive du profit maximum sans aucun souci des problèmes de la relation humaine avec autrui et surtout sans aucune considération pour l'ensemble. Dans cette perspective, les autres hommes deviendront pour le vendeur ou l'acheteur des objets semblables aux autres objets, de simples moyens lui permettant de réaliser ses intérêts et dont la seule qualité humaine importante sera leur capacité à conclure des contrats et engendrer des obligations contraignantes.

Cependant, comme les régulations qu'imposent les exigences de l'ensemble n'en agissent pas moins, leur existence doit se manifester d'une façon ou d'une autre et il se trouve, qu'éliminées de la conscience des hommes, ces régulations

réapparaissent dans la société en tant que propriétés nouvelles des objets inertes, qui s'ajoutent
à leurs propriétés naturelles : valeur d'échange
et prix.

Bien entendu, les arbres sont et ont toujours
été verts en été et desséchés en hiver, grands ou
petits, vigoureux ou vermoulus, etc. Dans une
économie productrice pour le marché, ils ont
cependant, outre tout cela, une propriété qu'ils
n'avaient dans aucune économie naturelle (et
que, malgré les apparences, ils n'ont pas non
plus dans une économie planifiée) : celle de
valoir telle ou telle somme d'argent, d'avoir un
prix lié à l'offre et à la demande et qui détermine
en dernière instance le nombre d'arbres qui,
en telle ou telle année, seront abattus et utilisés
dans la production — et cela vaut, naturellement,
pour toutes les autres marchandises.

Ainsi, tout un ensemble d'éléments fondamentaux de la vie psychique, tout ce qui dans les
formes sociales pré-capitalistes était — et, dans
les formes futures, sera, nous l'espérons — constitué
par les sentiments transindividuels, les relations
avec des valeurs qui dépassent l'individu, — et
cela signifie la morale, l'esthétique, la charité
et la foi — disparaît des consciences individuelles
dans le secteur économique, dont le poids et

l'importance croissent chaque jour dans la vie
sociale, pour déléguer ses fonctions à une propriété
nouvelle des objets inertes : à leur prix.

Les conséquences de ce changement sont
considérables et nous n'avons pas la possibilité
de les analyser ici [1]. Elles comportent d'ailleurs
aussi des aspects positifs et ont permis le développement d'un certain nombre d'idées fondamentales de la culture européenne occidentale
(les idées d'égalité, de tolérance et de liberté
individuelles entre autres). Mais elles ont augmenté
progressivement le développement de la passivité
des consciences individuelles et l'élimination de
l'élément qualitatif dans les relations entre les
hommes, d'une part, et entre les hommes et la
nature, d'autre part.

C'est ce phénomène d'abolition, de réduction
à l'implicite d'un secteur extrêmement important
des consciences individuelles auquel se substitue
une propriété nouvelle, d'origine purement sociale,
des objets inertes, dans la mesure où ils pénètrent
sur le marché pour y être échangés et, à partir
de là, le transfert des fonctions actives des hommes
aux objets, c'est cette illusion, fantasmagorique

---

1. Voir à ce sujet : *Histoire et Conscience des Classes*, de G. Lukács
(Ed. de Minuit, Paris), et « La Réification », dans *Recherches Dialecti-
ques*, de L. GOLDMANN, (Gallimard, Paris).

(que Marx a assimilée à la perspective du personnage shakespearien pour lequel savoir lire et écrire était une qualité naturelle et la beauté, le résultat d'un mérite) qu'on a désignée par le terme extrêmement suggestif de *fétichisme de la marchandise*, et, par la suite, de *réification*.

Dans la structure de la société libérale qu'analysait Marx, la réification réduisait ainsi à l'implicite toutes les valeurs transindividuelles, les transformant en propriétés des choses, et ne laissait comme réalité humaine essentielle et manifeste que l'individu privé de toute liaison immédiate, concrète et consciente avec l'ensemble.

Un monde équilibré correspondant à cette structure aurait été, à la dernière limite, celui de Robinson, l'individu isolé en face d'un univers d'objets, de plantes et d'animaux (et dans lequel les autres hommes n'existent que comme salariés, ce qui est exprimé par le personnage de Vendredi). Toutefois, comme l'a observé Lukács dans une analyse beaucoup plus avancée, l'homme ne saurait à la fois rester humain et accepter l'absence de contacts concrets et univoques avec les autres hommes, de sorte que la création humaniste qui correspondait réellement à la structure réificationnelle de la société libérale était l'histoire de l'individu problématique telle qu'elle s'est expri-

mée dans la littérature occidentale depuis don Quichotte jusqu'à Stendhal et Flaubert, en passant
par Gœthe (et, comme l'a montré Girard, avec
certaines modifications jusqu'à Proust et, en
Russie, jusqu'à Dostoïevsky).

Robbe-Grillet vient de le dire : le roman classique est un roman où les objets ont une importance primordiale mais où ils n'existent que par
leurs relations avec *les individus*. Les deux périodes
ultérieures de la société capitaliste occidentale,
la période impérialiste — qui se situe à peu près
entre 1912 et 1945 — et la période du capitalisme
d'organisation contemporain, se définissent sur
le plan structurel, la première par la disparition
progressive de l'individu en tant que réalité
essentielle, et, corrélativement, par l'indépen-
dance croissante des objets, la deuxième par la
constitution de ce monde des objets — dans
lequel l'humain a perdu toute réalité essentielle
aussi bien en tant qu'individu qu'en tant que
communauté —, en univers autonome ayant sa
propre structuration qui seule permet encore
quelquefois, et difficilement, à l'humain de s'exprimer.

Permettez-moi de formuler ici une hypothèse
qu'il sera nécessaire, bien entendu, de contrôler
par un certain nombre de recherches ultérieures.

Il me semble qu'aux deux dernières périodes de
l'histoire de l'économie et de la réification dans
les sociétés occidentales, correspondent effectivement deux grandes périodes dans l'histoire des
formes romanesques : celle que je caractériserai
volontiers par la dissolution du personnage et dans
laquelle se situent des œuvres extrêmement importantes, telles celles de Joyce, Kafka, Musil, *la
Nausée* de Sartre, *l'Étranger* de Camus, et, très
probablement, comme une de ses manifestations
les plus radicales, l'œuvre de Nathalie Sarraute ;
la seconde, qui commence seulement à trouver son
expression littéraire et dont Robbe-Grillet est un
des représentants les plus authentiques et les plus
brillants, étant précisément celle que marque
l'apparition d'un univers autonome d'objets, ayant
sa propre structure et ses propres lois, et à travers
lequel seul peut encore s'exprimer dans une certaine mesure la réalité humaine.

En abordant maintenant l'œuvre concrète des
deux romanciers, je voudrais commencer par constater qu'écrivant à la même époque, la nôtre, ce
qu'ils nous disent sur la réalité n'est peut-être
pas — en dépit de tout ce qui les sépare — tellement différent.

L'opposition entre Nathalie Sarraute et Robbe-
Grillet réside plutôt dans ce qui les intéresse, dans

ce qu'ils cherchent, que dans ce qu'ils constatent. Nathalie Sarraute est encore — dans la forme la plus poussée, la plus extrême —, une romancière de la période que nous avons caractérisée comme étant celle de la dissolution du personnage. Les structures globales du monde social ne l'intéressent pas beaucoup, elle cherche partout l'humain authentique, le vécu immédiat, alors que Robbe-Grillet cherche, lui aussi, l'humain mais en tant qu'expression extériorisée, en tant que réalité insérée dans une structure globale.

Mais cette différence une fois formulée, leurs constatations nous paraissent très proches. En cherchant le vécu immédiat, Nathalie Sarraute constate que ce vécu n'existe plus dans les extériorisations qui sont toutes, presque sans exception, inauthentiques, distordues et déformées. Aussi, devant cette dissolution extrême du personnage, limite-t-elle l'univers de ses œuvres au seul domaine où elle peut encore trouver la réalité qui lui semble essentielle (bien que, naturellement, elle la trouve ici tout aussi déformée et exaspérée par l'impossibilité d'extériorisation), aux sentiments et au vécu humains *antérieurs* à toute expression, à ce qu'elle appelle les tropismes, la sous-conversation, la sous-création. En ce sens, elle me paraît (et j'espère qu'elle ne m'en voudra pas)

un écrivain qui exprime un aspect essentiel de la
réalité contemporaine dans une forme pour laquelle
elle crée sans doute une modalité nouvelle, mais
qui est encore celle des écrivains de la disparition
du personnage, Kafka, Musil, Joyce dont elle se
réclame d'ailleurs très souvent.

Intéressée surtout par la psychologie et les
relations interhumaines, Nathalie Sarraute n'est
pas victime de l'illusion réifiante et garde conscience du fait que tous les aspects, même les plus
faux et les plus inauthentiques des relations
interhumaines, ceux qui empêchent au maximum
la communication, résultent finalement d'une
dégradation de l'humain, du psychique. Nous au-
rions voulu pouvoir ajouter qu'elle se rend compte
de ce que l'autonomie croissante des objets n'est
que la manifestation extérieure de cette dégradation ; mais ce serait inexact car, n'accordant que
très peu d'intérêt à tout ce qui est extériorisation,
Nathalie Sarraute n'enregistre pas le nouveau
statut des objets dans la vie sociale. Il suffit de
prendre à titre d'exemple parmi beaucoup d'autres
les quarante pages consacrées à une poignée de
porte au début du *Planetarium* ; à aucun instant,
l'auteur n'accorde la moindre autonomie à cette
poignée ; tout est traduit d'emblée en réactions
psychiques de la vieille femme, des ouvriers, du

neveu, de son père, de sa mère et de leurs amis. La
structure *essentielle* du rapport objet-individu
reste encore la même que celle du roman classique.
Nathalie Sarraute a seulement enregistré les transformations psychiques qui constituent le contenu
de cette relation ; dans cette perspective, il n'y a
pas de différence essentielle entre la « fonction à
l'intérieur de l'œuvre » de la poignée de porte et
celle de toutes les manifestations *extérieures* des
hommes, telles par exemple, celle de l'écrivain
célèbre qui a écrit « un essai sur Husserl » ou bien
celle de Germaine Lemaire dans l'épisode de la
librairie.

Inversement, Robbe-Grillet, centré sur les manifestations extérieures de la vie sociale, n'enregistre
pas le caractère essentiellement humain et psychique des relations qui sont à l'origine de la réification et de l'autonomie croissante des objets.
Peut-être pourrait-on caractériser les écrits des
deux auteurs, en transposant au nouveau roman
la distinction lukácsienne entre le roman de l'idéalisme abstrait centré sur l'action extérieure du
héros et son inadéquation au monde, et le roman
psychologique de la désillusion centré sur l'impos-
siblité d'agir, engendrée par une inadéquation de
type complémentaire. Encore faut-il souligner
que dans un cas comme dans l'autre, ces deux

types d'une même structure subissent une modification due à la disparition du personnage [1].

Robbe-Grillet exprime cette même réalité de la
société contemporaine dans une forme essentiellement nouvelle.

Pour lui aussi la disparition du personnage est
un fait acquis, mais il constate que ce personnage
est déjà remplacé par une autre réalité autonome
(laquelle n'intéresse pas Nathalie Sarraute) : l'univers réifié des objets. Et comme il cherche, lui
aussi — c'est un autre point commun aux deux
écrivains — la réalité humaine, il constate que
celle-ci, qui ne saurait plus se trouver dans les
structures globales en tant que réalité spontanée,
immédiatement vécue, ne peut plus être retrouvée
que dans la mesure où elle s'exprime encore dans
la structure et les propriétés des objets.

Vous comprenez pourquoi, en tant que sociologue, je pense qu'à notre époque, avec les limites
que le rétrécissement de l'univers humain impose
à toute création culturelle, les œuvres de Nathalie
Sarraute et de Robbe-Grillet sont des phénomènes
particulièrement importants. Je pense toutefois

---

1. Un pas décisif vers une littérature réaliste serait peut-être fait
par un écrivain qui réussirait à intégrer à la fois les deux aspects de
la réalité enregistrés avec tant de pénétration respectivement par
Nathalie Sarraute et Robbe-Grillet.

que l'œuvre de Robbe-Grillet (j'espère que lui aussi ne m'en voudra pas) l'est peut-être moins par ce qu'il a voulu y mettre que par ce qu'il y a mis effectivement.

Car il se peut que dans le cadre que nous venons d'indiquer, celui de l'univers autonome essentiellement réel et humainement étranger des choses, Robbe-Grillet ait encore cherché des réalités psychologiques : le complexe d'Œdipe dans *les Gommes*, une obsession dans *le Voyeur*, un sentiment de jalousie dans le roman du même nom, et peut-être une cure psychanalytique dans *l'Année dernière à Marienbad*. Mais l'important me paraît être que ces intentions — à supposer qu'elles aient été effectives — n'ont réussi à s'incorporer à l'œuvre que dans la mesure où elles pouvaient se relier à une analyse autrement essentielle des structures globales de la réalité sociale.

Le complexe d'Œdipe reste un ornement extérieur dans *les Gommes* ; l'obsession de Mathias, la jalousie du mari ne sont que des points de départ, des matières permettant d'exprimer des structures autrement essentielles, qui auraient pu être tout aussi bien exprimées à partir de sentiments différents ; les relations entre l'homme et la femme dans *l'Année dernière à Marienbad* deviennent l'expression des relations humaines dans l'ensemble. De plus, au risque de décevoir la plupart des critiques qui se sont centrés sur les problèmes formels de son œuvre, je dirai qu'à la lecture des écrits de Robbe-Grillet, j'ai eu l'impression que les problèmes formels, tout en étant extrêmement importants, n'y ont jamais possédé un caractère autonome ; Robbe-Grillet a quelque chose à dire et, comme tous les vrais écrivains il cherche naturellement les formes les plus adéquates pour le faire. Le contenu de ses écrits ne saurait être séparé de la création littéraire ni celle-ci de l'ensemble de l'œuvre. On a beaucoup parlé des problèmes formels dans les romans de Robbe-Grillet. Il est peut-être temps de parler de leur contenu.

Il ne s'agira pas, bien entendu, de trouver dans ces romans un contenu ésotérique. La recherche formelle de Robbe-Grillet est une tentative de rendre le contenu aussi manifeste, aussi accessible que possible, et si les critiques et les lecteurs ont tant de difficultés à le saisir, ce n'est pas la faute de l'écrivain, mais celle des habitudes mentales, des sentiments préconçus et des jugements préétablis avec lesquels la plupart d'entre eux abordent la lecture.

Robbe-Grillet a commencé ses publications en 1953, avec une sorte de roman policier appelé *les Gommes*. Dans cet écrit, il conserve dans une très

grande mesure le schème traditionnel du genre
(un assassinat, raté d'ailleurs, une enquête poli-
cière, etc.), à l'intérieur duquel il insère cependant
un contenu nouveau qui entraîne naturellement
un certain nombre de modifications formelles
assez importantes. Il me semble néanmoins que
c'est cette disparité entre le contenu nouveau et
la forme encore partiellement renouvelée qui
amène Robbe-Grillet à rappeler dans toute une
série de détails périphériques ce qu'il a voulu dire.
C'est tout le problème des allusions au mythe
d'Œdipe que l'auteur multiplie de manière plus
ou moins extérieure au corps même de l'ouvrage
(motifs des rideaux d'une fenêtre, décoration d'une
cheminée, énigme du sphinx, passage concernant
l'existence éventuelle d'un fils de la victime, etc.),
pour attirer l'attention du lecteur sur le fait qu'il
ne s'agit pas d'un simple roman policier de type
courant, mais d'un livre dont le contenu essentiel
s'apparente à celui de la tragédie antique. Bien
entendu, ces allusions auraient été inutiles (et
nous ne retrouvons plus rien d'analogue dans les
ouvrages ultérieurs de Robbe-Grillet) si la forme
de l'ouvrage avait été suffisamment adéquate pour
mettre en évidence le contenu. En quoi consiste
d'ailleurs la parenté que Robbe-Grillet veut établir
entre *les Gommes* et le mythe d'Œdipe ? Elle nous

paraît en dernière instance assez mince et même contestable ; le livre ne reprend certainement pas le mythe lui-même. Il est à peu près sûr que Daniel Dupont n'a pas été assassiné par son propre fils ; en tout cas, rien dans le livre ne rend cette hypothèse plausible. La parenté réside dans le fait que, dans les deux cas, il s'agit d'un enchaînement des événements se déroulant selon une inéluctable nécessité et auquel les intentions et les actes des hommes ne sauraient rien changer. Structurellement cependant, la nécessité de la tragédie antique qui résulte du conflit entre la volonté des dieux et les efforts des hommes et transforme la vie humaine en destinée, a très peu de choses en commun (et Robbe-Grillet, qui renoncera par la suite à toute allusion à cette tragédie, s'en est probablement aperçu lui-même) avec le processus mécanique et inévitable qui se déroule à l'intérieur d'un univers dans lequel les individus et leur recherche de liberté ont perdu toute réalité et toute importance.

Le contenu de l'ouvrage, c'est précisément cette nécessité mécanique et inéluctable qui régit aussi bien les relations entre les hommes que les relations entre les hommes et les choses, dans un univers qui ressemble à une machine moderne pourvue de mécanismes d'auto-régulation. Une organisation clandestine antigouvernementale ayant décidé de tuer chaque jour un homme, s'en prend au dénommé Daniel Dupont. Malheureusement, et cela peut arriver dans la plus perfectionnée des mécaniques, il se produit un mauvais ajustement : Daniel Dupont a allumé trop tôt la lampe dans son bureau ; l'assassin effrayé a mal visé et ne lui a causé qu'une légère blessure au bras. Dupont, qui se sait visé, et qui est un personnage ayant de puissantes relations gouvernementales, va, pour se protéger, faire croire que l'assassinat a réussi, et se cacher pendant quelque temps, espérant ainsi échapper à la vigilance des assassins. Un détective est envoyé pour enquêter sur un crime qui, en réalité, n'a pas eu lieu. Il semblerait que le caractère fatal et mécanique du processus ait été troublé, qu'une déviation de la ligne normale ait pu se produire. En réalité, c'est une illusion : le processus est fatal et le mécanisme, parfait. Car par le simple jeu des événements, sans que personne en soit conscient ni le veuille, le détective tuera la soi-disant victime, devenue ainsi victime réelle, ce qui permettra de poursuivre l'enquête sur un assassinat effectif. Quant au groupe d'assassins, il continuera son travail sans même avoir eu connaissance de l'erreur commise, et fera tuer le lendemain un autre homme, Albert Dupont.

Une dernière question pourrait se poser.

Pourquoi ce titre *les Gommes*, qui est à peine relié à
l'action par le fait que, plusieurs fois, le détective
Wallace entre dans une librairie pour en acheter.
Il me semble qu'il s'agit là, de même que pour
les allusions au mythe d'Œdipe, d'un rappel assez
extérieur du contenu du roman : à un niveau
immédiat, les auto-régulations qui effacent le raté,
à un niveau plus général, le mécanisme d'une
société qui efface toute trace de désordre vivant
et de réalité de l'individu.

Ce sont ces mêmes thèmes, mais à un niveau
littéraire incomparablement plus élevé, qui se
retrouveront dans le second roman de l'auteur,
celui qui a suscité parmi les critiques littéraires les
discussions les plus vives : *le Voyeur*. Certains se
souviendront du premier article, véhément et
indigné, d'E. Henriot dans *le Monde*, et de son
revirement ultérieur lorsqu'il proposa de classer
le livre parmi les dix meilleurs ouvrages à emporter
en vacances.

Le Voyeur pose les mêmes problèmes que *les
Gommes*, mais à un niveau beaucoup plus radical
qui entraîne de profondes transformations formelles. Naturellement, ce sont ces dernières seules
qui ont attiré l'attention des critiques, lesquels,
au niveau du contenu, n'ont vu que l'anecdote,
la relation d'un simple fait divers qui les laissait

indifférents ou, à la limite, les scandalisait ; et
naturellement, si l'on ne partait pas du contenu
qui les justifie et les rend nécessaires, les modifications « formelles » pouvaient paraître arbitraires
ou artificielles. Peu de critiques, à notre connaissance, ont soulevé ne serait-ce que la simple question du titre, *le Voyeur*, qui indique pourtant
assez clairement le contenu du livre pour la considérer au niveau où elle méritait de l'être. Car qui
est le voyeur ? De toute évidence, le terme ne
vaut que de manière tout à fait partielle pour le
voyageur de commerce Mathias, qui a effectivement commis le meurtre dont il s'agit dans le livre.
Un critique a remarqué que le terme s'appliquait
beaucoup plus au jeune Marek. Pourtant, une
objection de poids s'oppose à cette interprétation :
il serait difficile, en effet de, faire du jeune Marek
le personnage central de l'ouvrage.

Demandons-nous cependant quel est le contenu
du livre et nous verrons que la réponse s'impose
d'elle-même. Bien entendu, ce n'est pas la simple
relation d'un fait divers, en l'occurence l'assassinat
d'une petite fille. Il n'y aurait là rien de nouveau
par rapport au roman traditionnel .

Au niveau le plus immédiat, l'auteur retranscrit
le récit que le voyageur de commerce Mathias
tente de reconstituer de son séjour de vingt-quatre

heures dans une île où il était allé vendre des
montres. Mathias, qui pendant ce séjour a tué
une petite fille, est obsédé par le souvenir de cet
assassinat et la crainte d'être arrêté. Aussi, son
récit se caractérise-t-il d'emblée par deux éléments : d'une part, le désir de donner une version
plausible et sans lacunes de son séjour dans l'île
en éliminant toute allusion à l'assassinat, et, d'autre
part, la crainte d'être découvert et arrêté, laquelle
se traduit par l'obsession des menottes et de tout
ce qui lui rappelle le « huit couché » dont elles ont,
pour lui, la forme.

Cette crainte déforme la structure intention-
nelle du récit, l'empêche de suivre une trajectoire
conforme à l'intention initiale, et le ramène en
permanence, soit à l'assassinat même de la petite
fille qu'il s'agit de camoufler, soit à certains événements qui se sont produits dans l'enfance de
Mathias et qui, dans le vécu personnel de celui-ci
(Robbe-Grillet se sert ici, dans une certaine mesure,
de la psychanalyse), sont liés à l'assassinat, lui
conférant sa signification psychologique.

Ce contenu explique le style de l'ouvrage et
notamment la fluctuation permanente à l'intérieur
d'une seule et même phrase entre des personnages
différents et des événements qui se situent à des
époques différentes.

Le voyeur est donc, à un niveau immédiat, *Mathias lui-même*, puisque le récit a lieu, non pas au moment où il commet le crime, mais plus tard, au moment où il tente de construire une version de sa journée dans l'île qui éliminera tout souvenir de celui-ci, bien que sa vision se trouve continuellement ramenée, soit au crime lui-même, soit aux différents événements et objets qui lui sont connexes.

Pourtant, la grande découverte de Mathias, découverte qui se fera progressivement au cours du récit [1], c'est que, non seulement il lui est impossible de cacher un assassinat auquel sa crainte obsessionnelle le ramène constamment, mais surtout que son effort est superflu puisqu'il s'appuie sur une représentation entièrement fausse de la réalité sociale. En effet, Mathias commence par découvrir qu'il y a dans l'île deux personnes qui ont été témoins de l'assassinat (le fait est du moins certain pour l'une des deux personnes et très probable pour l'autre), et qui toutes deux s'acharnent à démontrer l'inexactitude de ses affirmations chaque fois qu'elles tendent à camoufler son acte. Cette constatation fait naître en lui une angoisse,

---

1. Lequel, contrairement à ce que Robbe-Grillet dit souvent de ses romans, ne se situe pas strictement au niveau du personnage central, mais jusqu'à un certain point au-dessus de lui, comme chez tous les romanciers classiques.

passagère cependant, car il s'aperçoit bien vite
que si l'un et l'autre des deux témoins s'attachent
sans doute à corriger ses déclarations, ils ne le font
que par souci de vérité et n'ont aucunement l'intention de le dénoncer et de le faire poursuivre :
ce sont de simples voyeurs. Bientôt, Mathias décou-
vrira que tous les habitants de l'île qui, dans ce
roman comme dans toute œuvre d'art, constituent,
non pas un secteur partiel d'un univers global,
mais cet univers lui-même, pourraient très facilement, avec un minimum d'effort, découvrir l'assassin, mais qu'ils ne s'y intéressent pas plus que le
jeune Marek ou la petite Maria. Au fond, cet assassinat, comme celui des *Gommes*, est inséré dans
l'ordre des choses et, dans la mesure où la petite
fille assassinée ne ressemblait pas aux autres habitants de l'île et représentait un élément de spontanéité et de désordre, sa disparition va jusqu'à
soulager ceux-ci [1].

---

1. Peut-être y a-t-il ici un dernier élément extérieur surajouté au
contenu essentiel du roman, bien qu'il soit beaucoup plus étroitement
relié à ce contenu que ne l'étaient les allusions au mythe d'Œdipe
dans l'ouvrage précédent. Par rapport au problème de la nature de
l'univers humain imaginé par Robbe-Grillet, univers qui, nous l'avons
déjà dit, correspond de très près à l'essence de la société industrielle
occidentale, le fait que la victime ait été dans une certaine mesure
un être marginal, étranger, et que sa suppression ait fait disparaître
un élément de trouble, important sans doute, reste tout de même
anecdotique.

Ainsi l'univers est constitué uniquement de voyeurs passifs qui n'ont ni l'intention ni la possibilité d'intervenir dans la vie de la société pour la transformer qualitivement et la rendre plus humaine. Le seul homme qui ait pu penser un instant que l'assassinat de l'enfant était une action punissable et susceptible de l'éliminer de la vie sociale, était Mathias lui-même, lequel, à la fin du récit, comprenant son erreur, dédaigne les possibilités de fuite qui s'offrent à lui et attend tranquillement le matin suivant pour reprendre le bateau qui fait le service régulier entre l'île et le continent.

C'est ainsi que l'assassinat est intégré à l'ordre universel, caractérisé dans *les Gommes* par l'autorégulation qui éliminait toute possibilité de modification née d'un élément imprévisible du tempérament individuel, d'une faute individuelle inattendue, et, dans *le Voyeur*, par la passivité de tous les membres de la société [1].

1. Claude Ollier et Jean Catrysse, professeur à l'Université de Caracas, ont, indépendamment l'un de l'autre, attiré notre attention sur le fait que le texte de Robbe-Grillet, loin d'affirmer que Mathias a effectivement tué la jeune fille, suggère au contraire le doute et la possibilité d'un méfait purement imaginaire. Cette remarque nous paraît justifiée et nous pensons aujourd'hui que, dans la mesure où Mathias prend progressivement conscience de la passivité fondamentale du monde, la réalité de son acte tend — comme celle de tous les actes — à s'effacer, transformant celui-ci en rêve, en hallucination ou en imagination pure. Mathias, qui a commencé par tuer la jeune

Quelques mots ici (bien qu'ils soient peut-être inutiles) pour éviter toute possibilité de malentendu. Le thème de ces deux romans, la disparition de toute importance et de toute signification de l'action individuelle, en fait, à mon avis, deux des ouvrages les plus réalistes de la littérature romanesque contemporaine. Il pourrait cependant se trouver des lecteurs ou des critiques pour m'opposer un argument qui paraît dicté par le bon sens : il n'est pas vrai que chaque fois qu'un assassin rate

fille, finit par ne plus l'avoir fait et par devenir lui aussi un simple voyeur.

D'autre part, à partir de l'analyse de *l'Immortelle*, Anne Olivier a attiré notre attention sur la possibilité d'une interprétation différente et complémentaire du *Voyeur*, de *la Jalousie* et même de *l'Année dernière à Marienbad*. Il se peut en effet que, dans ces œuvres comme dans son dernier film, Robbe-Grillet ait voulu opposer une conscience orientée vers l'imaginaire qu'elle voit et qu'elle vit, à un monde dans lequel les hommes devenus objets l'ignorent et l'éliminent (et où il reste tout au plus partiellement accessible aux enfants).

La validité éventuelle — qui nous semble probable — d'une analyse orientée en ce sens, analyse qui correspondrait peut-être même aux intentions conscientes de l'écrivain, nous paraît non seulement compatible avec la réalité des structures que nous avons essayé de mettre en lumière, mais encore éclairante et complémentaire par rapport à celles-ci.

C'est en effet l'ensemble embrassant le personnage humain — l'ancien héros problématique réduit au statut de voyeur de l'imaginaire — et un monde homologue à la société industrielle contemporaine, dont Robbe-Grillet a saisi, consciemment ou inconsciemment, mais en tout cas de manière réaliste, les problèmes, la nature et les lois, qui constituerait l'univers de ses œuvres.

Anne Olivier se propose d'étudier l'œuvre de Robbe-Grillet dans cette perspective.

sa victime un mécanisme social vienne corriger
son erreur, de même qu'il n'est pas vrai que, lorsqu'un voyageur de commerce assassine une petite
fille, les voisins restent indifférents et que les
autorités ne se soucient pas de l'arrêter et de le
livrer à la justice.

D'une manière immédiate, ces objections sont
naturellement fondées ; le problème, cependant,
se pose à un niveau beaucoup plus radical. Il y a
d'innombrables crimes quotidiens contre l'humain
qui font partie de l'ordre social lui-même, qui sont
admis ou tolérés par la loi de la société et par la
structure psychique de ses membres. Jadis, dans
les formes sociales antérieures, l'existence de ces
éléments inhumains (il suffit de penser aux privilèges
féodaux ou aux lettres de cachet) pouvait et devait,
à un certain moment de l'évolution, provoquer
une indignation telle chez les membres de certains
groupes sociaux et chez les écrivains et les penseurs
qui leur servaient de porte-parole (il suffit de penser
à Voltaire ou à Lessing à titre d'exemple), qu'elle
pouvait aboutir à une transformation sociale
destinée à rendre leur persistance impossible, quitte
à susciter d'autres injustices et d'autres usages
inhumains, lesquels finiraient à leur tour par susciter l'indignation, et ainsi de suite.

Ce que constate Robbe-Grillet, ce qui fait le

sujet de ses deux premiers romans, est la grande
transformation sociale et humaine, née de l'apparition de deux phénomènes nouveaux et d'une
importance capitale, d'une part, *les auto-régulations* de la société et, d'autre part, la *passivité
croissante*, le caractère de « voyeurs » que prennent
progressivement dans la société moderne les individus, l'absence de participation *active* à la vie
sociale, ce que, dans sa manifestation la plus visible,
les sociologues modernes appellent la dépolitisation
mais qui est au fond un phénomène beaucoup plus
fondamental qu'on pourrait désigner, dans une
gradation progressive, par des termes comme :
dépolitisation, désacralisation, déshumanisation,
réification.

C'est cette même réification qui, à un niveau
encore plus radical, fait l'objet du troisième roman
de Robbe-Grillet : *la Jalousie*. Le terme même
employé par Lukács indiquait que la disparition
de toute importance et de toute signification de
l'action des individus [1], leur transformation en
voyeurs, en êtres purement passifs, n'étaient que
les manifestations périphériques d'un phénomène
fondamental, précisément celui de la réification,

---

1. Un économiste moderne constatait le même phénomène en
rappelant qu'il n'y a plus d'individus assez importants dans la vie
économique pour que leur décès puisse être enregistré par la Bourse.

de la transformation des êtres humains en choses
au point qu'il devient de plus en plus difficile de
les distinguer de celles-ci. Or c'est à ce niveau que
Robbe-Grillet reprend l'analyse de la société contemporaine dans la *Jalousie*. Ce roman est écrit
du point de vue d'un spectateur jaloux, probablement le mari, qui regarde à travers une jalousie,
le titre même du roman indiquant qu'il est impossible dans cet univers de séparer le sentiment de
l'objet. L'ensemble de l'ouvrage montre l'autonomie croissante des objets qui sont la seule réalité concrète et en dehors desquels les réalités
humaines et les sentiments ne sauraient avoir
aucune actualité autonome. La présence du jaloux
n'est indiquée que par celle d'une troisième chaise,
d'un troisième verre, etc.

Plusieurs passages du roman affirment l'impossibilité de séparer le psychique, le savoir, le sentiment de l'objet :

> *Il faut un regard à son assiette vide, mais salie, pour se*
> *convaincre qu'elle n'a pas omis de se servir... Maintenant*
> *le boy enlève les assiettes. Il devient ainsi impossible de*
> *contrôler à nouveau les traces maculant celle de A... —*
> *ou leur absence, si elle ne s'était pas servie.*

Ce qui importe cependant plus que de tels détails,
c'est la structure d'un monde dans lequel les objets

ont acquis une réalité propre, autonome ; dans
lequel les hommes, loin de maîtriser ces objets,
leur sont assimilés ; et dans lequel les sentiments
n'existent plus que dans la mesure où ils peuvent
encore se manifester à travers la réification.

Tant que la discussion ne portait que sur ces
trois premiers romans, Robbe-Grillet s'atta-
chait à souligner une différence importante entre
son monde romanesque et toute tentative marxiste
pour l'interpréter comme une révolte contre la
déshumanisation. Les marxistes, disait-il, sont des
gens qui prennent position. Moi, je suis un écrivain
réaliste, objectif ; je crée un monde imaginaire que
je ne juge pas, que je n'approuve ni ne condamne,
mais dont j'enregistre l'existence en tant que réalité essentielle.

C'était d'ailleurs ce qui constituait effectivement
l'originalité de Robbe-Grillet à l'intérieur d'un
devenir du roman moderne qui depuis longtemps
avait fait de la réification le centre même de la
création artistique. Kafka, Sartre dans *la Nausée*,
Camus dans *l'Étranger*, gardaient encore des perspectives humanistes, explicites ou implicites, qui
faisaient manifestement de ces livres des ouvrages
de l'absence. Le monde froid de Robbe-Grillet
repoussait la constatation de l'absence tellement
à l'arrière-plan, au niveau de l'implicite, qu'elle

restait à peine visible au critique qui essayait de trouver la signification globale de son univers.

Avec *le Labyrinthe*, dernier roman publié jusqu'aujourd'hui, le jugement humain sur l'univers que Robbe-Grillet décrit pénètre pour la première fois dans son œuvre. De la première jusqu'à la dernière page, le sentiment d'angoisse domine l'ouvrage. C'est l'élément nouveau qui s'ajoute aux thèmes et aux moyens formels que Robbe-Grillet avait déjà découverts et utilisés dans ses ouvrages antérieurs. C'est en ce sens que ce livre nous intéresse plutôt comme une étape, comme le maillon d'une chaîne tendue vers l'avenir, que par son esthétique propre. Robbe-Grillet s'était montré dans tous ses ouvrages un écrivain trop radical pour se contenter d'une présence humaine réduite à l'angoisse, thème devenu presque banal et auquel il donne à peine une signification nouvelle en l'insérant dans l'univers vide de ses romans antérieurs. Aussi bien, dans son ouvrage récent, qui n'est plus un livre mais un film, *l'Année dernière à Marienbad*, a-t-il ajouté à l'angoisse son autre face, celle qui seule permet de donner à la réalité humaine dans le monde contemporain sa dimension globale : l'espoir. Ce n'est pas que Robbe-Grillet soit devenu optimiste par rapport aux valeurs qui animent cette œuvre, et il est certain que dans la société actuelle,

l'optimisme ne saurait être qu'un mensonge facile
et à bon marché, mais dans cette société même
comme dans toutes les autres, lorsque se pose le
problème de l'existence humaine authentique, il
apparaît d'abord comme problème de la nature
du temps, individuel et historique. Les trois premiers romans de Robbe-Grillet exprimaient, entre
autres choses, le caractère réifié de son univers par
l'élimination de tout élément temporel. *La Jalousie*,
qui est le plus radical d'entre eux, se situe dans un
présent continuel. Quatre chapitres sur sept commencent par le mot « maintenant ». Une des modalités d'introduction du temps dans un monde atem-
porel était naturellement l'angoisse. Mais, nous
l'avons déjà dit, la description de celle-ci aurait
été incomplète tant qu'on ne lui aurait pas ajouté
l'autre aspect du vécu temporel, dont elle n'est que
la contre-partie négative : l'espoir (réel et justifié,
ou bien illusoire et déçu). C'est le thème qui est
passé inaperçu de la plupart des critiques bien que,
tout comme dans les romans, il ne faille pas le chercher à des profondeurs extraordinaires et difficiles
à atteindre mais au simple niveau de l'histoire,
telle qu'elle est immédiatement racontée dans
l'Année dernière à Marienbad. Le château baroque
de Marienbad est, transposé au cinéma, le même
monde du vide et de la mort dans lequel rien ne

saurait jamais arriver, dans lequel on s'adonne à
des jeux qui présupposent que le joueur peut perdre, mais dans lequel certains joueurs gagnent et
certains autres perdent toujours (bien que ces
derniers ne soient pas présents dans le film) [1] et
dans lequel enfin deux êtres posent encore le problème de l'espoir. L'espoir et l'angoisse ne sont que
les deux aspects subjectifs d'une réalité dont l'aspect ontologique est le temps, et cela, non seulement dans sa dimension future, mais dans toutes
ses dimensions, et, implicitement aussi, dans *celle
du passé*. Au niveau du bon sens, le problème de
savoir si quelque chose s'est passé ou ne s'est pas
passé l'année dernière est un problème de concor-
dance des indices, des témoignages et des souvenirs;
dans le monde de Robbe-Grillet, le problème de
savoir si les deux protagonistes se sont réellement
rencontrés ou si, au contraire, il ne s'est passé à
Marienbad l'année dernière rien d'autre que des
pseudo-événements dépourvus de signification et
de temporalité, semblables à tous ceux qui se produisent à chaque instant dans le château, ne saurait être décidé par aucun souvenir et par aucun

---

1. Les joueurs qui perdent n'y étant que la contrepartie de celui
qui gagne et n'ayant pas de réalité propre. En cela Robbe-Grillet
a eu raison, car ceux qui perdent réellement dans la vie ne pouvaient
pas pénétrer dans ce film sans détruire son unité.

témoignage. Ni une photographie, ni un talon
cassé, ni le souvenir commun d'un froid exceptionnel ne sauraient avoir une importance décisive.
Le fait que l'homme et la femme se sont ou ne se
sont pas rencontrés l'année dernière à Marienbad
dépend uniquement du caractère fondé ou illusoire
de l'espoir qui existe encore dans leur conscience
et dont la réalité constitue le contenu du film.
S'ils réussissent non seulement à quitter le château,
mais à trouver ailleurs (dans le film : au jardin)
une vie authentique, une vie dans laquelle les
hommes et les sentiments humains peuvent exister
réellement, dans laquelle des événements pourraient avoir lieu, alors il est certain qu'ils se sont
rencontrés à Marienbad. Dans le cas contraire, ni
les photos ni les témoignages les plus irréfutables
ne modifieront en rien le fait qu'il n'y a pas eu de
rencontre. Et Robbe-Grillet est un écrivain trop
radical pour ignorer que la réponse au problème
du film ne dépend pas seulement de la volonté des
deux protagonistes, mais en premier lieu de la
nature du château et de la nature du jardin. C'est
ce que les sociologues ont découvert depuis longtemps en affirmant le caractère *historique et social*
de la signification objective de *la vie affective et
intellectuelle des individus.* Et ici aussi Robbe-
Grillet n'est pas seulement un écrivain d'envergure,

mais aussi (peut-être est-ce une seule et même chose) un écrivain d'une parfaite honnêteté. La réponse qu'il nous donne par deux fois à la fin du film et aussi au début (quoique le spectateur qui voit le film pour la première fois n'y prête pas attention) est sans équivoque. Les deux protagonistes ont fait ce qu'à l'intérieur de la société où nous vivons les hommes peuvent faire de mieux : ils sont partis vers un monde différent, dans lequel ils allaient chercher la vie, tout en ne pouvant pas se représenter clairement (ils le disent eux-mêmes au cours du film) en quoi elle pourrait consister. Ils sont partis vers le jardin, dont ils espéraient qu'il serait pour eux un monde nouveau, un monde où les hommes pourraient être eux-mêmes ; mais ils n'y ont rien trouvé, car le jardin, de même que le château, n'était qu'un cimetière :

> *Le parc de cet hôtel était une sorte de jardin à la française, sans arbre, sans fleur, sans végétation aucune... Le gravier, la pierre, le marbre, la ligne droite y marquaient des espaces rigides, des surfaces sans mystère. Il semblait, au premier abord, impossible de s'y perdre... au premier abord... le long des allées rectilignes, entre les statues aux gestes figés et les dalles de granit où vous étiez maintenant déjà en train de vous perdre, pour toujours, dans la nuit tranquille, seule avec moi.*

L'œuvre de Robbe-Grillet pose naturellement beaucoup d'autres problèmes proprement esthétiques et qui concernent en premier lieu les modifications que le contenu a fait subir à la forme romanesque. Il nous semble cependant que cette simple analyse du contenu le plus immédiat des écrits de Nathalie Sarraute et de Robbe-Grillet et du film de ce dernier telle que nous venons de l'esquisser, suffit déjà à montrer que si on donne au mot réalisme le sens de création d'un monde dont la structure est analogue à la structure essentielle de la réalité sociale au sein de laquelle l'œuvre a été écrite, Nathalie Sarraute et Robbe-Grillet comptent parmi les écrivains les plus radicalement réalistes de la littérature française contemporaine [1].

1. Dans la ligne de cette analyse, nous espérons pouvoir publier bientôt une étude concernant les romans de Claude Ollier.

L'IMMORTELLE [1]

Après un échec lors de sa sortie, le dernier film de Robbe-Grillet, *l'Immortelle* [2], œuvre intéressante tant en soi que par la place qu'elle occupe dans l'évolution intellectuelle d'un écrivain particulièrement important, vient d'être projeté pendant une semaine dans une petite salle du Quartier latin.

Ce film, très clair, n'en est pas moins difficilement accessible au public moyen des salles de spectacles, ce qui explique son échec presque total, mais espérons-le provisoire, car il n'est pas exclu qu'il devienne un jour — sans avoir touché le grand public — un classique des ciné-clubs et des cinémathèques.

Étant donné le peu de place dont nous disposons,

1. Ce texte a été rédigé avec la collaboration d'Anne Olivier.
2. Dont il est à la fois le scénariste et le metteur en scène.

nous laisserons aujourd'hui de côté l'aspect technique et esthétique de *l'Immortelle*, pour parler surtout de son contenu et de la place qu'il occupe dans l'œuvre du romancier et du cinéaste.

Sur un plan immédiat, le film raconte une histoire assez simple. Un Français, professeur de lycée en Turquie (nous l'appellerons le narrateur), se remémore de manière plus ou moins fragmentaire et apparemment désordonnée une aventure à caractère plus ou moins sado-masochiste qu'il a eue, dans ce pays dont il ignore la langue, avec une femme dont il n'a jamais connu ni le nom véritable, ni l'adresse, ni les coordonnées sociales. Entrée comme un météore dans sa vie, elle disparut tout aussi brusquement par la suite. Après une recherche longue et infructueuse, le héros la rencontre tout à coup au coin d'une rue ; apeurée, elle le fait monter dans sa voiture et tous deux partent pour une longue promenade nocturne. Brusquement au milieu de la route, se dresse un des deux chiens d'un homme énigmatique que nous avons vu tout au long du film ; effrayée, la jeune femme jette la voiture contre un arbre et se tue. Plus tard, le narrateur essaie de comprendre ce qui s'est passé, sa propre place dans un monde incompréhensible où l'on parle « turc », les relations entre Laïlé et ce monde, et finit par reprendre la même voiture

retrouvée chez un marchand de bric-à-brac, re-
faire le même chemin et se tuer dans les mêmes
circonstances, à l'endroit même où avait eu lieu
le premier accident.

Racontée de manière aussi schématique, l'anecdote peut paraître banale mais, sur cette trame,
Robbe-Grillet a repris une fois de plus les problèmes
qui dominent l'ensemble de son œuvre et qui structuraient déjà *l'Année dernière à Marienbad*, ceux
de la relation entre le sujet, le monde déshumanisé
de la réification et les possibilités d'un espoir humain.

Dans ce film, Laïlé ou Leila (son nom n'est pas
certain et il lui arrive plusieurs fois d'en changer)
a une fonction très précise dans la structure globale constituée par ces trois éléments. Elle est l'imaginaire, réel et irréel à la fois, qui permet à l'homme
de se réaliser en tant qu'Homme, de s'affirmer et
— bien que la chose ne soit pas explicitement dite
dans le film — de vouloir quelque chose, d'espérer.
Mais Robbe-Grillet est [1] le contraire d'un romantique ; il sait que l'espoir, l'ouverture sur l'imaginaire,
n'est pas indépendant du monde réel de la vie
quotidienne ni simplement étranger à celui-ci. Il y
a entre Laïlé et le monde une *relation essentielle*,

1. Jusqu'ici tout au moins.

aussi énigmatique et incompréhensible que ce
monde lui-même entièrement dépourvu de signification. De cette relation, Robbe-Grillet nous indique seulement les éléments pertinents. Le monde
est hostile à l'imaginaire, il se présente sous la
forme des deux énormes chiens menaçants qui
accompagnent un gros bourgeois muet et énigmatique, du regard fixe du pêcheur muet lui aussi, au
bord de la mer, de l'attitude hostile des ouvriers
dans la carrière, qui créent une atmosphère de
menace permanente.

Pas un instant, il ne fait de doute que ce monde
est hostile à Laïlé. Mais elle aussi met à son tour le
monde en question. Lorsqu'elle est présente, les
maisons et les remparts deviennent des ruines, les
mosquées des décors en carton-pâte, les cimetières,
les souterrains, des mensonges pour touristes, bref,
le monde perd sa réalité. Dès le début du film, on
sait que le monde et l'imaginaire s'excluent mutuellement, qu'ils sont à la longue incompatibles
et que, pourtant, le monde n'est supportable que
grâce à la présence de Laïlé, de cette Laïlé que,
symbolisé par le chien dressé au milieu de la route,
il finira par détruire.

Mais Laïlé est-elle vraiment tuée physiquement ?
Et qui l'a tuée ? Dans le film, une autre femme (la
servante), qui lui ressemble et qui porte le même

nom, s'est intégrée au monde pour devenir un simple objet ; une troisième semble terrorisée et ne peut ni se manifester ni s'exprimer ; lorsqu'elle parlera, ce sera pour dire au narrateur que la mort de Laïlé n'était pas un accident, qu'elle a été tuée et qu'il en est l'assassin. C'est ce qui poussera celui-ci au suicide.

En réalité, toutes ces affirmations en apparence contradictoires sont vraies et se complètent. Laïlé a été tuée par le narrateur qui n'a pas réussi à sauvegarder sa présence dans le monde, mais elle a été tuée aussi par le monde, qui ne permet pas à l'homme d'y parvenir. Elle a été et est encore tuée chaque jour par le monde sur le triple mode de l'assassinat (par l'accident provoqué), de l'intégration à son objectivité et de l'oppression.

Il y aurait beaucoup à dire sur de nombreuses scènes isolées, riches en signification, mais leur étude demanderait un travail plus approfondi. Notons que Robbe-Grillet a voulu cette fois souligner expressément que le monde réifié et inhumain dans lequel ni Laïlé ni le narrateur ne parviennent plus à vivre embrasse toutes les couches sociales ; ce qu'il a exprimé d'abord à un moment important du film, celui de la disparition de Laïlé, par une scène où des ouvriers la regardent avec la même hostilité que le bourgeois aux chiens, scène suivie immédiatement d'une autre où des hommes du peuple mènent un cercueil quelque part, probablement vers un faux cimetière.

Le film a d'ailleurs une structure tout à fait régulière et même dialectique. Il se compose de trois parties (on pourrait sans forcer écrire la thèse, l'antithèse et la synthèse) à peu près égales.

La première raconte l'apparition de Laïlé qui détruit le monde et le rend irréel ; lorsqu'elle est là, les murailles sont en ruine, les palais détruits, le pêcheur est absent, sa chaise au bord du quai est retirée, l'homme n'a plus ses chiens. Parfois, il est vrai, au cours d'une réception, des hommes passent devant elle et l'effacent, mais elle reparaît ailleurs et continue son action « déréalisante ».

Dans la seconde partie, Laïlé disparue, le processus est inverse ; le monde reprend sa réalité ; aux murailles en ruine se substituent des fortifications intactes, les hommes commencent à parler, mais leurs réponses aux questions du narrateur sont vagues et évasives, de toute évidence ils évitent d'en parler ; il se peut qu'ils n'aient jamais connu l'existence de Laïlé, il se peut qu'ils n'aient pas vu l'opposition entre elle et le monde, il se peut enfin qu'ils éprouvent un certain malaise à évoquer son souvenir.

Dans la troisième partie enfin, après la mort de

Laïlé, le narrateur essaie de comprendre ce qui s'est passé, sa propre situation dans l'ensemble, et revit en souvenir les scènes antérieures, mais sur un mode différent. Alors que dans la première partie il n'y avait aucun contact entre Laïlé et le monde (tout au plus, en dormant sur la plage, s'était-elle effrayée d'un aboiement entendu en rêve), en évoquant ses souvenirs, le narrateur les transforme et les corrige. Maintenant Laïlé et le monde sont en liaison ; elle se trouve en permanence menacée par celui-ci. Le souterrain prend l'allure d'une tour de prison, l'homme retrouve ses chiens dans une scène où ceux-ci ne l'accompagnaient précisément pas au cours de la première partie, et bientôt le narrateur reverra Laïlé emprisonnée derrière un grillage d'où l'aboiement des chiens la fera disparaître. Comprenant enfin ce qui s'est passé (et se passe encore tous les jours), à savoir que le monde ne peut tolérer l'existence de Laïlé, il suivra celle à laquelle il ne peut renoncer, celle qui a donné son titre au film, *l'Immortelle.*

Chacune des trois parties se termine par une scène particulièrement éloquente et significative qui devrait aider à la compréhension. La disparition de Laïlé qui clôt la première est marquée par le regard hostile des ouvriers de la carrière et par le cercueil qu'on transporte ; sa réapparition, par la promenade au milieu d'un monde dont elle a peur, car elle connaît maintenant son caractère menaçant, et par l'accident final. La troisième partie enfin, pendant laquelle le narrateur arrive lentement à comprendre ce qui s'est passé et sa propre responsabilité, se termine par son suicide [1].

Pour la première fois chez Robbe-Grillet, le suicide apparaît. Quelle sera l'évolution ultérieure de l'écrivain ? Le romantisme, l'affirmation que l'essence peut abandonner le monde et se situer dans l'imaginaire [2], solution vers laquelle se sont orientés un certain nombre d'écrivains importants d'aujourd'hui ? La tragédie dont il est déjà proche dans *l'Immortelle* ? Le retour au réalisme contemplatif de ses premiers romans qui se contentait d'enregistrer implacablement la structure d'une société réifiée ou enfin [3] une prise de position combative explicitement humaniste et critique ? Un fait est certain ; avec *l'Immortelle*, Robbe-Grillet se trouve à un tournant. Contentons-nous de constater seulement un rapprochement avec un écrivain très différent et dont les préoccupations semblent

---

1. En fait, le mot suicide est peut-être trop fort, car il ne cherche pas la mort, mais essaie de rejoindre Laïlé, qui est, nous dit Robbe-Grillet, « L'Immortelle ».

2. Sinon le contenu, du moins le titre du film, *l'Immortelle*, semble aller dans ce sens.

3. Ce qui nous paraît peu probable.

d'un tout autre ordre. Dans sa dernière pièce, *les Séquestrés d'Altona*, Jean-Paul Sartre, en posant les problèmes moraux et politiques qui depuis des années dominent son théâtre, aboutit lui aussi pour la première fois au suicide du héros [1]. Là aussi, l'œuvre indique un tournant analogue, là aussi se pose, bien que différemment, le problème de l'évolution ultérieure.

Pour le sociologue et l'historien, le fait que l'évolution de la société contemporaine ait amené deux écrivains aussi différents et même opposés à la même impasse ou, pour être plus exact, à deux impasses aussi proches apparaît au plus haut point significatif.

---

[1]. La mort de Hugo à la fin des *Mains sales* n'est pas un suicide mais le résultat d'une prise de position morale incompatible avec la vie.

La méthode structuraliste génétique

en histoire de la littérature

L'analyse structuraliste-génétique en *histoire de la littérature* n'est que l'application à ce domaine particulier d'une méthode *générale* que nous pensons être la seule valable en sciences humaines. C'est dire que nous considérons la création culturelle comme un secteur sans doute privilégié, mais néanmoins de même nature que tous les autres secteurs du comportement humain et, comme tel, soumis aux mêmes lois et offrant à l'étude scientifique des difficultés sinon identiques, du moins analogues.

Dans le présent article, nous essayerons d'exposer quelques principes fondamentaux du structuralisme génétique appliqué aux sciences humaines en général et à la critique littéraire en particulier, ainsi que quelques réflexions concernant l'analogie et l'opposition entre les deux grandes écoles complémentaires de critique littéraire qui se rattachent à cette méthode : le marxisme et la psychanalyse.

Le structuralisme génétique part de l'hypothèse que *tout* comportement humain est un essai de donner une *réponse significative* à une situation particulière et tend par cela même à créer un équilibre entre le sujet de l'action et l'objet sur lequel elle porte, le monde ambiant. Cette tendance à l'équilibration garde cependant toujours un caractère labile et provisoire, dans la mesure où tout équilibre plus ou moins satisfaisant entre les structures mentales du sujet et le monde extérieur aboutit à une situation à l'intérieur de laquelle le comportement des hommes transforme le monde et où cette transformation rend l'ancien équilibre insuffisant et engendre une tendance à une équilibration nouvelle qui sera à son tour ultérieurement dépassée.

Ainsi les réalités humaines se présentent-elles comme des processus à double face : *destructuration* de structurations anciennes et *structuration* de totalités nouvelles aptes à créer des équilibres qui sauraient satisfaire aux nouvelles exigences des groupes sociaux qui les élaborent.

Dans cette perspective, l'étude scientifique de faits humains, qu'ils soient économiques, sociaux, politiques ou culturels, implique l'effort de mettre en lumière ces processus en dégageant à la fois les équilibres qu'ils défont et ceux vers lesquels ils s'orientent. Ceci dit, il suffit de s'engager dans une recherche concrète pour se heurter à toute une série de problèmes dont nous esquisserons ici quelques-uns des plus importants.

En premier lieu, celui de savoir qui est en réalité le *sujet* de la pensée et de l'action. Trois types de réponses sont possibles et elles entraînent des attitudes essentiellement différentes. On peut en effet, et c'est le cas des positions empiristes, rationalistes et récemment phénoménologiques, voir ce sujet dans *l'individu* ; on peut aussi, et c'est le cas de certains types de pensée romantique, réduire l'individu à un simple épiphénomène et voir dans *la collectivité* le seul sujet réel et authentique ; on peut enfin, et c'est le cas de la pensée dialectique, hégélienne et surtout marxiste, admettre, avec le romantisme, la collectivité comme sujet réel, sans cependant oublier que cette collectivité n'est rien d'autre qu'un réseau complexe de relations inter-individuelles et qu'il faut toujours préciser la structure de ce réseau et la place particulière qu'y occupent les individus qui apparaissent de manière manifeste comme les sujets sinon derniers, du moins immédiats du comportement étudié.

Si nous laissons de côté la position romantique, orientée vers le mysticisme, qui nie toute réalité et toute autonomie de l'individu, dans la mesure où

elle pense que celui-ci peut et doit s'identifier intégralement à l'ensemble, la question peut se poser
sérieusement de savoir pourquoi rattacher l'œuvre
en premier lieu au groupe social et non à l'individu
qui l'a écrite, d'autant plus que si la perspective
dialectique ne nie pas l'importance de ce dernier,
les positions rationalistes, empiristes ou phénoménologiques ne nient pas non plus la réalité du
milieu social, à condition d'y voir seulement un
conditionnement extérieur, c'est-à-dire une réalité
dont l'action sur l'individu a un caractère causal [1].

La réponse est simple : lorsqu'elle s'efforce de
saisir l'œuvre dans ce qu'elle a de spécifiquement
culturel (littéraire, philosophique, artistique), l'étude qui la rattache uniquement ou en premier lieu
à son auteur peut, dans l'état actuel des possibilités
d'étude empirique, rendre compte, *dans le meilleur
des cas*, de son unité interne et de la relation entre
l'ensemble et ses parties ; mais elle ne saurait, en
aucun cas, établir de manière positive une relation
du même type entre cette œuvre et l'homme qui l'a
créée. Sur ce plan, si l'on prend l'individu comme le
sujet, la plus grande partie de l'ouvrage étudié
demeure accidentelle et il est impossible de dépas-

---

1. Dans cette perspective, une étude sociologique peut, à la limite,
contribuer à expliquer la *genèse* de l'œuvre, mais ne saurait en aucune
manière aider à la *comprendre*.

ser le niveau des réflexions plus ou moins intelligentes et ingénieuses.

Car, nous l'avons déjà dit ailleurs, la structure psychologique est une réalité trop complexe pour qu'on puisse l'analyser à la lumière de tel ou tel groupe de témoignages concernant un individu qui n'est plus en vie, ou un auteur que l'on ne connaît pas directement, ou même en se fondant sur la connaissance intuitive ou empirique d'une personne à laquelle on est lié par des liens d'amitié plus ou moins étroits.

En bref, aucune étude psychologique ne saurait rendre compte du fait que Racine a écrit précisément l'ensemble de ses drames et de ses tragédies et expliquer pourquoi il n'aurait pu, en aucun cas, écrire les pièces de Corneille ou celles de Molière [1].

Or, si curieux que cela puisse paraître, lorsqu'il s'agit d'étudier les grandes œuvres de la culture, l'étude sociologique parvient plus facilement à dégager des liens *nécessaires* en les rattachant à

---

1. Cependant, s'il est impossible d'insérer dans la structure biographique le contenu et la forme, bref la structure proprement littéraire, philosophique ou artistique des grandes œuvres culturelles, une école psychologique de type structuraliste-génétique, la psychanalyse, réussit, dans une certaine mesure, à dégager *à côté de cette essence culturelle spécifique* une structure et une signification *individuelle* de ces œuvres, qu'elle pense pouvoir insérer dans le devenir biographique. Nous reviendrons brièvement à la fin de cet article sur les possibilités et les limites de cette insertion.

des unités collectives dont la structuration est beaucoup plus facile à mettre en lumière.

Sans doute, ces unités ne sont-elles que des réseaux complexes de relations interindividuelles, mais la complexité de la psychologie des individus vient de ce que chacun d'entre eux appartient à un nombre plus ou moins important de groupes différents (familiaux, professionnels, nationaux relations amicales, classes sociales, etc.) et que chacun de ces groupes agit sur sa conscience, contribuant ainsi à engendrer une structure unique, complexe et relativement incohérente, alors qu'inversement, dès que nous étudions un nombre suffisamment grand d'individus *appartenant à un seul et même groupe social*, l'action des différents autres groupes sociaux auxquels appartient chacun d'entre eux et les éléments psychologiques dus à cette appartenance s'annulent mutuellement, et nous nous trouvons devant une structure beaucoup plus simple et plus cohérente [1].

Dans cette perspective, les relations entre l'œuvre vraiment importante et le groupe social qui — par l'intermédiaire du créateur — se trouve *être*

1. La statistique empiriste connaît d'ailleurs des conséquences analogues du même facteur : il est pratiquement impossible de prévoir sans une grande marge d'erreur si Pierre, Jacques ou Jean se marieront, auront un accident de voiture ou décéderont dans l'année à venir, mais il n'est, par contre, pas difficile de prévoir avec une marge

en dernière instance, le véritable sujet de la création
sont du même ordre que les relations entre les
éléments de l'œuvre et son ensemble. Dans un cas
comme dans l'autre, nous nous trouvons devant
des relations entre les éléments d'une structure
compréhensive et la totalité de celle-ci, relations
de type à la fois compréhensif et explicatif. C'est
pourquoi, s'il n'est pas absolument absurde d'imaginer que si l'individu Racine avait reçu une éducation différente, ou vécu dans un autre milieu, il
eût pu écrire des pièces du type de celles de Corneille ou de Molière, il est, en revanche, absolument
inconcevable d'imaginer la noblesse de robe du
xviiᵉ siècle élaborant une idéologie épicurienne ou
radicalement optimiste.

C'est dire que, dans la mesure où la science est un
effort pour dégager des relations *nécessaires* entre
les phénomènes, les tentatives de mettre en relation les œuvres culturelles avec les groupes sociaux
en tant que sujets créateurs s'avèrent — dans le
niveau actuel de nos connaissances — beaucoup
plus opératoires que tous les essais de considérer

d'erreur très réduite le nombre de mariages, accidents, décès, qui auront
lieu en France dans telle ou telle semaine de l'année.

Ceci dit, et bien qu'il s'agisse de phénomènes apparentés, il y a des
différences considérables entre ces prévisions statistiques, concernant
une réalité dont on n'a pas dégagé les structures, et une analyse structuraliste-génétique.

l'individu comme le véritable sujet de la création.

Cependant, une fois cette position acceptée, deux problèmes surgissent. Le premier, celui de déterminer quel est l'ordre de relations entre le groupe et l'œuvre, le second, celui de savoir quelles sont les œuvres et quels sont les groupes entre lesquels peuvent s'établir des relations de ce type.

Sur le premier point, le structuralisme génétique (et plus précisément l'œuvre de Georg Lukács) représente un véritable tournant dans la sociologie de la littérature. Toutes les autres écoles de sociologie littéraire, ancienne ou contemporaine, essayent en effet d'établir des relations entre *les contenus* des œuvres littéraires et ceux de la conscience collective. Ce procédé, qui peut parfois aboutir à certains résultats, dans la mesure où de pareils transferts existent réellement, présente cependant deux inconvénients, majeurs :

a) la reprise par l'écrivain des éléments de contenu de la conscience collective, ou, tout simplement, de l'aspect empirique immédiat de la réalité sociale qui l'entoure, n'est presque jamais ni systématique ni générale et se trouve seulement en certains points de son œuvre. C'est dire que dans la mesure où l'étude sociologique s'oriente, exclusivement ou principalement, vers la recherche de correspondances *de contenu,* elle laisse échapper l'unité de l'œuvre, et cela veut dire son caractère *spécifiquement littéraire.*

b) la reproduction de l'aspect immédiat de la réalité sociale et de la conscience collective dans l'œuvre est, en général, d'autant plus fréquente que l'écrivain a moins de force créatrice et se contente de décrire ou de raconter sans la transposer son expérience personnelle.

C'est pourquoi la sociologie littéraire orientée vers le *contenu* a souvent un caractère anecdotique et s'avère surtout opératoire et efficace lorsqu'elle étudie des *œuvres de niveau moyen* ou des *courants littéraires,* mais perd progressivement tout intérêt à mesure qu'elle approche les grandes créations.

Sur ce point, le structuralisme génétique a représenté un changement total d'orientation, son hypothèse fondamentale étant précisément que le caractère collectif de la création littéraire provient du fait que les *structures* de l'univers de l'œuvre sont homologues aux *structures* mentales de certains groupes sociaux ou en relation intelligible avec elles, alors que sur le plan des contenus, c'est-à-dire de la création d'univers imaginaires régis par ces structures, l'écrivain a une liberté totale. L'utilisation de l'aspect immédiat de son expérience individuelle pour créer ces univers imaginaires est sans doute fréquente et possible mais nullement essentielle et sa mise en lumière ne constitue qu'une tâche utile mais secondaire de l'analyse littéraire.

En réalité, la relation entre le groupe créateur et l'œuvre se présente le plus souvent sur le modèle suivant : le groupe constitue un processus de structuration qui élabore dans la conscience de ses membres des tendances affectives, intellectuelles et pratiques, vers une réponse cohérente aux problèmes que posent leurs relations avec la nature et leurs relations inter-humaines. Sauf exception, ces tendances restent cependant loin de la cohérence effective, dans la mesure où elles sont, comme nous l'avons déjà dit plus haut, contrecarrées, dans la conscience des individus par l'appartenance de chacun d'entre eux à de nombreux autres groupes sociaux.

Aussi les catégories mentales n'existent-elles dans le groupe que sous forme de tendances plus ou moins avancées vers une cohérence que nous avons appelée vision du monde, vision que le groupe ne crée donc pas, mais dont il élabore (et il est seul à pouvoir les élaborer) les éléments constitutifs et l'énergie qui permet de les réunir. Le grand écrivain est précisément l'individu exceptionnel qui réussit à créer dans un certain domaine, celui de l'œuvre littéraire (ou picturale, conceptuelle, musicale, etc.), un univers imaginaire, cohérent ou presque rigoureusement cohérent, dont la structure correspond à celle vers laquelle tend l'ensemble du groupe ; quant à l'œuvre, elle est, entre autres, d'autant plus médiocre ou plus importante que sa structure s'éloigne ou se rapproche de la cohérence rigoureuse.

On voit la différence considérable qui sépare la sociologie des contenus de la sociologie structuraliste. La première voit dans l'œuvre *un reflet* de la conscience collective, la seconde y voit au contraire *un des éléments constitutifs* les plus importants de celle-ci, celui qui permet aux membres du groupe de prendre conscience de ce qu'ils pensaient, sentaient et faisaient sans en savoir objectivement la signification. On comprend pourquoi la sociologie des ꞌcontenus s'avère plus efficace lorsqu'il s'agit d'œuvres de niveau moyen alors qu'inversement la sociologie littéraire structuraliste-génétique s'avère plus opératoire, quand il s'agit d'étudier les chefs-d'œuvre de la littérature mondiale.

Encore faut-il soulever un problème d'épistémologie : si *tous* les groupes humains agissent sur la conscience, l'affectivité et le comportement de leurs membres, il n'y a cependant que l'action de certains groupes particuliers et spécifiques qui soit de nature à favoriser la création culturelle. Il est donc particulièrement important pour la recherche concrète de délimiter ces groupes afin de savoir dans quelle direction orienter les investigations. La nature même des grandes œuvres culturelles indique quelles doivent être leurs caractéristiques. Ces œuvres représentent en effet, nous l'avons déjà dit, l'expression de visions du monde, c'est-à-dire des tranches de réalité imaginaire ou conceptuelle, structurées de telle manière que, sans qu'il soit besoin de compléter essentiellement leur structure, on puisse les développer en univers globaux.

C'est dire que cette structuration ne saurait être rattachée qu'aux groupes *dont la conscience tend vers une vision globale de l'homme.*

Du point de vue de la recherche empirique, il est certain que, durant une très longue période, les classes sociales ont été les seuls groupes de ce genre, encore que la question puisse être posée de savoir si cette affirmation vaut aussi pour les sociétés non européennes, pour l'antiquité gréco-romaine et les périodes qui l'ont précédée et peut-être même pour certains secteurs de la société contemporaine ; mais une fois de plus, nous tenons à le souligner, c'est là un problème de recherche empirique positive, et non pas de sympathies ou d'antipathies idéologiques telles qu'on en trouve à la base de trop nombreuses théories sociologiques.

Quoi qu'il en soit, l'affirmation de l'existence d'un lien entre les grandes œuvres culturelles et celle des groupes sociaux orientés vers une restructuration globale de la société ou vers sa conservation élimine d'emblée tout essai de les relier à un certain nombre d'autres groupes sociaux, notamment à la nation, aux générations, aux provinces, et à la famille, pour ne citer que les plus importantes. Non que ces groupes n'agissent pas sur la conscience de leurs membres et en l'occurrence sur celle de l'écrivain, mais ils ne sauraient expliquer que certains éléments périphériques de l'œuvre et non pas sa structure essentielle [1]. Les données empiriques corroborent d'ailleurs cette affirmation. L'appartenance à la société française du xviie siècle ne peut ni expliquer ni faire comprendre l'œuvre de Pascal, de Descartes et de Gassendi, ou celle de Racine, de Corneille et de Molière, dans la mesure même où ces œuvres expriment des visions différentes et même opposées, bien que leurs auteurs appartiennent tous à la société française du xviie

---

1. Les travaux sociologiques de ce genre se situent sur le même plan que la sociologie du contenu qui, elle aussi, ne saurait rendre compte que de certains éléments secondaires et périphériques des œuvres.

siècle. En revanche, cette appartenance commune peut rendre compte de certains éléments formels communs aux trois penseurs et aux trois écrivains.

Après ces considérations préalables, nous arrivons au problème le plus important de toute recherche sociologique de type structuraliste-génétique : celui du découpage de l'objet. Lorsqu'il s'agit de sociologie de la vie économique, sociale ou politique, ce problème est particulièrement difficile et absolument primordial ; on ne peut en effet étudier les structures que si l'on a délimité de manière plus ou moins rigoureuse l'ensemble des données empiriques immédiates qui en font partie et, inversement, on ne saurait délimiter ces données empiriques que dans la mesure où l'on possède déjà une hypothèse plus ou moins élaborée sur la structure qui en fait l'unité.

Du point de vue de la logique formelle, le cercle peut paraître insoluble ; en pratique, il se résout fort bien, comme tous les cercles de ce genre, par une série d'approximations successives.

On part de l'hypothèse qu'on peut réunir un certain nombre de faits en une unité structurelle, on tente d'établir entre ces faits le maximum de relations compréhensives et explicatives en essayant aussi d'y englober d'autres faits qui paraissent étrangers à la structure qu'on est en train de déga-

ger ; on arrive ainsi à éliminer quelques-uns des
faits dont on était parti, à en adjoindre d'autres
et à modifier l'hypothèse initiale ; on répète cette
opération par approximations successives jusqu'au moment où on arrive (c'est l'idéal plus ou
moins atteint selon les cas) à une hypothèse structurelle pouvant rendre compte d'un ensemble parfaitement cohérent de faits [1].

Lorsqu'on étudie la création culturelle, on se
trouve, il est vrai, dans une situation privilégiée
en ce qui concerne l'hypothèse de départ. Il est en
effet probable que les grandes œuvres littéraires,
artistiques ou philosophiques constituent des
structures significatives cohérentes, de sorte que

1. A titre d'exemple, on peut partir de l'hypothèse de l'existence
d'une structure significative qui serait la dictature ; on arriverait
ainsi à grouper un ensemble de phénomènes comme, par exemple,
les régimes politiques dans lesquels le gouvernement dispose de pou-
voirs absolus ; mais si on essaye de rendre compte avec une seule
hypothèse structurale de la genèse de tous ces régimes, on s'aperçoit
bien vite que la dictature n'est pas une structure significative et qu'il
faut distinguer des groupes de dictatures qui ont des natures et des
significations différentes ; alors que, par exemple, les concepts de
dictature révolutionnaire ou au contraire de dictature bonapartiste
post-révolutionnaire semblent constituer des concepts opératoires.

De même tout essai d'interprétation unitaire des écrits de Pascal
(et il y en a de nombreux) échoue devant le fait que ses deux œuvres
les plus importantes *les Provinciales* et les *Pensées* expriment des
perspectives essentiellement différentes. Il faut, si l'on veut les
comprendre, les considérer comme les expressions de deux structures
distinctes bien que, par certains côtés, apparentées.

le premier découpage de l'objet se trouve pour ainsi
dire préalablement donné. Encore faut-il mettre
en garde contre la tentation de se fier à cette supposition d'une manière trop absolue. Il arrive en
effet que l'œuvre contienne des éléments hétéro-
gènes qu'il faudra précisément distinguer de son
unité essentielle. De plus, si l'hypothèse de l'unité
de l'œuvre a une grande vraisemblance pour les
ouvrages vraiment importants pris isolément, cette
vraisemblance diminue considérablement lorsqu'il
s'agit de l'ensemble des *écrits d'un seul et même écrivain.*

C'est pourquoi, il faut, dans la recherche concrète, partir de l'analyse de chacune des œuvres de
celui-ci, en les étudiants dans l'ordre chronologique
de leur rédaction dans la mesure où on peut
l'établir

Cette étude permettra d'effectuer des groupements provisoires d'écrits à partir desquels il s'agira
de rechercher dans la vie intellectuelle, politique,
sociale et économique de l'époque, des groupements
sociaux structurés, dans lesquels on pourra intégrer,
en tant qu'éléments partiels, les œuvres étudiées
en établissant entre elles et l'ensemble des relations intelligibles et, dans les cas les plus
favorables, des homologies.

Le progrès d'une recherche structuraliste-génétique consiste dans le fait de délimiter des groupes de données empiriques qui constituent des structures, des totalités relatives [1], et dans celui de les insérer par la suite comme éléments dans d'autres structures plus vastes mais de même nature, et ainsi de suite.

Cette méthode présente, entre autres, le double avantage de concevoir d'abord l'ensemble des faits humains de manière unitaire et, ensuite, d'être à la fois *compréhensive* et *explicative*, car la mise en lumière d'une structure significative constitue un processus de *compréhension* alors que son insertion dans une structure plus vaste est, par rapport à elle, un processus *d'explication*. A titre d'exemple : mettre en lumière la structure tra-

---

1. Sur ce plan, surtout en sociologie de la culture, il est bon d'employer un « garde-fou » externe et quantitatif. S'il s'agit d'interpréter un écrit, il va de soi qu'on peut avoir un certain nombre d'interprétations différentes qui rendent compte de soixante à soixante-dix pour cent du texte. C'est pourquoi il ne faut pas considérer un tel résultat comme une confirmation scientifique. En revanche, il est rare qu'on puisse trouver deux interprétations différentes qui intègrent quatre-vingt à quatre-vingt-dix pour cent du texte, et l'hypothèse qui y parvient a toutes les chances d'être valable. Cette probabilité s'accroît de beaucoup si on réussit à insérer la structure dégagée dans l'analyse génétique à l'intérieur d'une totalité plus grande, si on réussit à l'utiliser de manière efficace pour l'explication d'autres textes auxquels on n'avait pas pensé et surtout si, comme cela a été le cas dans notre étude sur la tragédie au xviie siècle, on réussit à mettre en lumière et même à prédire un certain nombre de faits ignorés par les spécialistes et les historiens.

gique des *Pensées* de Pascal et du théâtre racinien
est un procédé de compréhension ; les insérer
dans le jansénisme extrémiste en dégageant la
structure de celui-ci est un procédé de compréhension par rapport à ce dernier, mais un procédé
d'explication par rapport aux écrits de Pascal et
de Racine ; insérer le jansénisme extrémiste dans
l'histoire globale du jansénisme, c'est expliquer
le premier et comprendre le second. Insérer le jansénisme, en tant que mouvement d'expression idéologique, dans l'histoire de la noblesse de robe du
XVIIᵉ siècle, c'est expliquer le jansénisme et
comprendre la noblesse de robe. Insérer l'histoire
de la noblesse de robe dans l'histoire globale de
la société française, c'est l'expliquer en comprenant cette dernière et ainsi de suite.

Explication et compréhension ne sont donc pas
deux processus intellectuels différents mais un
seul et même processus rapporté à deux cadres de
référence.

Soulignons enfin que dans cette perspective —
où le passage de l'apparence à l'essence, du donné
empirique partiel et abstrait à sa signification
concrète et objective, se fait par l'insertion dans
des totalités relatives, structurées et significatives
— chaque fait humain peut, et doit même, posséder un certain nombre de significations concrètes,

différentes suivant le nombre de structures dans lesquelles il peut être inséré de manière positive et opératoire. Ainsi, par exemple, si le jansénisme doit être inséré, à travers les médiations déjà indiquées, dans la société française du xviie siècle où il représente un courant idéologique rétrograde et réactionnaire qui s'opposait aux forces historiques progressistes incarnées avant tout par la bourgeoisie et la monarchie et, sur le plan idéologique, par le rationalisme cartésien, il est tout aussi légitime et nécessaire de l'insérer dans la structure globale de la société occidentale telle qu'elle s'est développée jusqu'à nos jours, perspective dans laquelle il devient progressiste dans la mesure où il constitue un des premiers pas dans le sens du dépassement du rationalisme cartésien vers la pensée dialectique ; et, bien entendu, ces deux significations ne sont ni exclusives ni contradictoires.

Dans ce même ordre d'idées, nous voudrions nous arrêter, pour terminer, à deux problèmes particulièrement importants dans l'état actuel de la critique littéraire :

a) celui de l'insertion des œuvres littéraires dans deux totalités réelles et complémentaires, qui peuvent fournir des éléments de compréhension et d'explication, à savoir, l'individu et le groupe et

b) à partir de là, celui de la fonction de la création culturelle dans la vie des hommes.

Sur le premier point nous avons aujourd'hui deux écoles scientifiques de type structuraliste génétique qui correspondent aux essais d'insérer les œuvres dans les structures collectives et dans la biographie individuelle : le marxisme et la psychanalyse.

Passant outre aux difficultés déjà signalées de dégager des structures individuelles, commençons par considérer ces deux écoles sur le plan méthodologique. L'une et l'autre se proposent de comprendre et d'expliquer les faits humains par l'insertion dans les totalités structurées respectivement de la vie collective et de la biographie individuelle.

Elles constituent ainsi des méthodes apparentées et complémentaires et les résultats de chacune d'entre elles devraient, en apparence tout au moins, renforcer et compléter ceux de l'autre.

Malheureusement, en tant que structuralisme génétique, la psychanalyse, tout au moins telle que Freud l'a élaborée [1], n'est pas suffisamment conséquente et se trouve beaucoup trop entachée

---

1. Nous connaissons trop peu ses développements ultérieurs pour nous permettre d'en parler.

du scientisme qui dominait la vie universitaire de la fin du xixe siècle et du début du xxe. Cela se manifeste notamment sur deux points capitaux.

Premièrement, dans les explications freudiennes, la dimension temporelle de l'avenir manque complètement et de manière radicale. Subissant en cela l'influence du scientisme déterministe de son temps, Freud néglige entièrement les forces positives d'équilibration qui agissent dans toute structure humaine, individuelle ou collective ; expliquer, c'est pour lui revenir aux expériences de l'enfance, aux forces instinctives refoulées ou opprimées, alors qu'il néglige entièrement la fonction positive que pourraient avoir la conscience et la relation avec la réalité [1].

Deuxièmement, l'individu est, pour Freud, un sujet absolu pour lequel les autres hommes ne peuvent être que des *objets* de satisfaction ou de

1. On serait sans doute tenté d'expliquer cette caractéristique de l'œuvre de Freud par le fait qu'il était médecin et a étudié surtout des malades, c'est-à-dire des êtres chez lesquels les forces du passé et les blocages prédominent sur les forces positives orientées vers l'équilibration et l'avenir. Malheureusement, la critique que nous venons de formuler vaut aussi pour les études philosophiques et sociologiques de Freud.

Le mot « avenir » se trouve dans le titre d'un seul de ses écrits et, trait caractéristique pour l'ensemble de son œuvre, l'ouvrage s'appelle *l'Avenir d'une illusion*. Son contenu prouve d'ailleurs que cet avenir n'existe pas.

frustration ; ce fait est peut-être le fondement de l'absence d'avenir que nous venons de mentionner.

Sans doute serait-il faux de réduire, d'une manière trop étroite, la libido freudienne au domaine sexuel ; il n'en reste pas moins qu'elle est toujours *individuelle* et que, dans la vision freudienne de l'humanité, le sujet collectif et la satisfaction qu'une action collective peut apporter à l'individu font entièrement défaut.

On pourrait longuement développer, à l'aide de nombreux exemples concrets, les distorsions que ces perspectives engendrent dans les analyses freudiennes des faits culturels et historiques. De ce point de vue, le marxisme nous paraît incomparablement plus avancé, dans la mesure où il intègre non seulement l'avenir comme facteur explicatif mais aussi la signification individuelle des faits humains à côté de leur signification collective.

Enfin sur le plan qui nous intéresse ici, celui des œuvres culturelles et particulièrement des œuvres littéraires, il nous paraît incontestable que ces dernières peuvent être valablement intégrées dans des structures significatives de type individuel et de type collectif. Seulement, et cela va de soi, les significations réelles et valables que peuvent dégager ces deux intégrations sont de nature à la fois différente et complémentaire. L'intégration des œuvres dans la biographie individuelle ne saurait en effet révéler que leur signification individuelle et leur relation avec les problèmes biographiques et psychiques de l'auteur. C'est dire que, quelles que soient la validité et la rigueur scientifique des recherches de ce type, elles doivent nécessairement situer l'œuvre en dehors de son contexte culturel et esthétique propre, pour la mettre au même niveau que tous les symptômes individuels de tel ou tel malade soigné par le psychanalyste.

En supposant — sans le concéder — que l'on puisse rattacher valablement sur le plan individuel les écrits de Pascal aux relations avec sa sœur ou bien ceux de Kleist aux relations avec sa sœur et son père, *on aura mis en évidence une signification affective et biographique de ces écrits mais on n'aura ni touché ni même approché leur signification philosophique ou littéraire.* Des milliers et des dizaines de milliers d'individus ont certainement eu des relations analogues avec les membres de leur famille et nous ne voyons pas dans quelle mesure une étude psychanalytique de ces symptômes pourrait tant soit peu rendre compte de la différence *de nature* entre les écrits de tel ou tel aliéné et les *Pensées* ou *le Prince de Homburg.*

La seule utilité, assez réduite d'ailleurs, des analyses psychologiques et psychanalytiques pour la critique littéraire, nous paraît être de pouvoir expliquer pourquoi dans telle situation concrète où tel groupe social a élaboré une certaine vision du monde tel individu a pu, grâce à sa biographie individuelle, se trouver particulièrement apte à créer un univers conceptuel ou imaginaire, dans la mesure où, entre autres, il pouvait y trouver aussi une satisfaction dérivée ou sublimée à ses propres aspirations inconscientes [1]. Cela signifie que c'est seulement à partir d'une analyse historico-sociologique que la signification philosophique des *Pensées*, la signification littéraire et esthétique du théâtre de Kleist et la genèse des unes et des autres peuvent *être comprises en tant que faits culturels*.

Quant aux études psychologiques, elles peuvent tout au plus nous aider à comprendre pourquoi, parmi des centaines de jansénistes, ce furent précisément Racine et Pascal qui purent exprimer la vision tragique sur le plan littéraire et philo-

---

1. Inversement, l'étude sociologique ne peut fournir aucun renseignement sur la signification biographique et individuelle des œuvres et ne saurait apporter aux psychanalystes que des renseignements relativement secondaires sur les formes de satisfaction réelle ou imaginaire des aspirations individuelles, qu'à une époque donnée et dans une société donnée, les structures collectives favorisent ou imposent.

sophique sans, cependant, apporter aucun renseignement (si ce n'est sur tel ou tel détail secondaire
et négligeable) concernant la nature, le contenu
et la signification de cette expression.

Il nous reste, pour terminer, à aborder sché-
matiquement un problème particulièrement important : celui de la fonction individuelle (jeux,
rêves, symptômes morbides, sublimations) et
collective (valeurs littéraires, culturelles et artistiques) de l'imaginaire, par rapport aux structures
significatives humaines qui présentent toutes les
caractères communs d'être des relations dyna-
miques et structurées entre un sujet (collectif ou
individuel) et un milieu ambiant.

Le problème est complexe, peu étudié, et nous
ne pouvons, en terminant cet article, que formuler
une hypothèse vague et provisoire. Il nous semble
en effet que, sur le plan psychique, l'action du
sujet se présente toujours sous la forme d'un
ensemble d'aspirations, de tendances, de désirs,
dont la réalité empêche la satisfaction intégrale.

Marx et Lukács, sur le plan collectif, Piaget,
sur le plan individuel, ont étudié de près les modifications que les difficultés et les obstacles suscités
par l'objet introduisent dans la nature même
de ces désirs et de ces aspirations. Freud a montré
que, sur le plan individuel, les désirs, même

modifiés, ne peuvent se contenter d'une satisfaction partielle et accepter sans problème la
répression. Son grand mérite est d'avoir découvert
que la relation rationnelle avec la réalité exige
comme complément une satisfaction imaginaire,
pouvant prendre les formes les plus diverses,
depuis les structures adaptées du lapsus et du
rêve jusqu'aux structures désadaptées de l'alié-
nation et de la folie.

Il se peut que la fonction de la culture soit,
malgré toutes les différences (nous ne croyons pas
qu'il puisse y avoir d'inconscient collectif), analogue. Les groupes humains ne sauraient agir
rationnellement sur la réalité et s'adapter aux
frustrations et aux satisfactions partielles imposées par cette action et par les obstacles auxquels
elle se heurte, que dans la mesure où l'action
rationnelle et transformatrice s'accompagne de
satisfactions intégrales sur le plan de la création
conceptuelle ou imaginaire.

Encore faut-il ajouter que si, sur le plan individuel, les instincts refoulés subsistent *dans l'inconscient* et tendent vers une satisfaction symbolique qui est toujours *possession de l'objet*, les
tendances collectives souvent implicites mais non
inconscientes visent non pas une *possession* mais
la *réalisation d'une cohérence*.

La création culturelle compense ainsi le mélange et les compromis que la réalité impose aux sujets et facilite leur insertion dans le monde réel, ce qui est peut-être le fondement psychologique de la catharsis.

Une hypothèses de ce genre, qui intégrerait sans difficulté .ce qu'il y a de valable dans les analyses freudiennes et dans les études marxistes de l'art et de la création culturelle, pourrait rendre compte à la fois de la parenté — si souvent pressentie par de nombreux théoriciens — et de la différence de nature qui n'en subsiste pas moins, entre d'une part le jeu, le rêve et même certaines formes d'imagination morbide et, d'autre part, les grandes créations littéraires, artistiques et même philosophiques.

Mai 1964

L'hypothèse formulée dans la première étude de ce volume nous amène à ajouter quelques réflexions aux écrits méthodologiques concernant la sociologie de la culture que nous avons publiés jusqu'ici et notamment à la présente étude.

Il s'avère en effet que la relation entre l'œuvre et la structure sociale à laquelle elle se rattache est beaucoup plus complexe dans la société capitaliste, et notamment dans le cas de la forme littéraire qui se rattache au secteur économique de celle-ci, le roman, qu'elle ne l'était dans le cas des autres créations littéraires et culturelles que nous avons envisagées dans nos travaux antérieurs.

Pour ces dernières nos recherches nous ont amené à l'hypothèse que l'œuvre se situe au point de rencontre entre les formes les plus élevées des tendances à la cohérence propres à la conscience collective et les formes les plus élevées d'unité et de cohérence de la conscience individuelle du créateur.

Les œuvres culturelles importantes pouvaient sans doute avoir un caractère critique et même oppositionnel par rapport à la société globale dans la mesure où elles se rattachaient à un groupe social orienté vers une pareille attitude critique et oppositionnelle par rapport à celle-ci. Ceci dit, la création culturelle n'en était pas moins toujours fondée sur une coïncidence étroite entre la structure et les valeurs de l'œuvre.

Cette situation devient cependant beaucoup plus complexe dans la société productrice pour le marché et pratiquement dans la société capitaliste, où l'existence et le développement d'un secteur économique a précisément pour conséquence une tendance à la disparition ou, tout au moins, à une réduction au statut de simple reflet de la conscience collective.

Dans ce cas, l'œuvre littéraire ne saurait plus être fondée sur la coïncidence totale ou presque totale avec cette dernière et se situe dans un rapport autrement dialectique avec la classe à laquelle elle se rattache.

Dans le cas du roman traditionnel, à héros

problématique, nous avons déjà indiqué que l'homologie se limite à la structure globale de l'univers décrit dans le roman et aux valeurs de l'individu, de l'autonomie et du développement de la personnalité qui correspondent à la structure de l'échange et aux valeurs explicites du libéralisme. Ceci dit, c'est précisément au nom de ces seules valeurs explicites qui structurent encore la conscience de la bourgeoisie dans ses périodes ascendantes et ultérieurement libérales (alors que cette même conscience réduit à l'implicite toutes les valeurs transindividuelles), que le romancier s'oppose à une société et à un groupe social qui nient nécessairement dans la pratique les valeurs qu'ils affirment explicitement. Aussi le roman à héros problématique est-il, par sa structure même, critique et réaliste ; il constate et affirme l'impossibilité de fonder un développement authentique de la personnalité autrement que sur des valeurs transindividuelles dont la société créée par la bourgeoisie a précisément supprimé toute expression à la fois authentique et manifeste. Remarquons en passant que cela mène d'ailleurs dans l'ensemble — et avec un certain nombre d'exceptions, bien entendu — à une rupture avec la philosophie individualiste qui, dans ses différentes formes (rationaliste, empiriste et synthétique dans la philosophie des Lumières), accepte et assume l'univers constitué par les consciences individuelles et autonomes dont le roman met précisément en question l'authenticité. Ajoutons aussi que cette structuration complexe des rapports entre la société et la création littéraire est peut-être rendue possible par une société qui affirme explicitement la valeur de la conscience individuelle critique indépendante de toute attache extérieure et qui a pu par cela même augmenter le degré d'autonomie de celle-ci [1].

Par la suite, l'évolution ultérieure, avec les deux principaux tournants que nous avons mentionnés dans la première étude du présent ouvrage, à savoir :

a) le passage à l'économie des monopoles et des trusts et, sur le plan littéraire, au roman de la dissolution du personnage et

b) le développement du capitalisme d'organisation et de la société de consommation, et l'apparition du nouveau roman et d'un théâtre centré sur l'absence et l'impossibilité de communication, modifie encore jusqu'à un certain point la relation

---

1. Une situation particulièrement complexe peut se produire, par exemple, dans les cas où l'attitude critique et l'opposition de l'individu envers la mentalité collective globale constituent elles-mêmes des valeurs prônées explicitement par certains secteurs partiels de cette mentalité.

qui nous intéresse, car les disparitions concomitantes de l'idéologie individualiste et libérale dans l'économie et du personnage et de sa recherche dans le roman suppriment le principal élément commun qui subsistait encore entre la conscience collective et la création littéraire, accentuant le caractère oppositionnel et critique de cette dernière.

Dans cette seconde phase de l'histoire de la société bourgeoise, phase que les marxistes ont appelée la crise du capitalisme et qui se caractérisait par l'existence d'équilibres labiles et peu durables, périodiquement rétablis par des crises sociales et politiques extrêmement violentes et rapprochées (Première et Seconde Guerres mondiales, Révolution russe, crises révolutionnaires entre 1917 et 1923 en Europe, fascisme italien, crise économique d'une ampleur extrême entre 1929 et 1933, national-socialisme allemand), la pensée philosophique, qui abandonne elle aussi la valeur incontestée de la conscience individuelle autonome et se fonde sur les concepts de limite, d'angoisse et de mort, rejoint dans l'existentialisme le développement le plus important de la création littéraire. La relation entre les romans de Kafka et la pensée existentialiste a souvent été soulignée et, en France, Sartre et Camus sont à la fois des penseurs philosophiques et des écrivains.

Enfin, dans la période contemporaine, la renaissance d'une part d'un rationalisme a-historique et non individualiste centré sur l'idée de structures permanentes et invariables et l'apparition des formes les plus récentes de l'avant-garde littéraire créent une situation complexe et difficile à formuler avant d'avoir procédé à une analyse plus approfondie de l'un et de l'autre secteur de la réalité.

Soulignons néanmoins que, du point de vue de la création littéraire, le phénomène le plus important nous paraît être la disparition de cette couche, en droit universelle, en fait beaucoup plus limitée (et réduite encore dans la période impérialiste par rapport au capitalisme libéral), d'individus qui participaient activement et de manière responsable à la vie économique, sociale et politique, et à partir de là à la vie culturelle.

Les sociétés de consommation ont considérablement augmenté la diffusion des œuvres culturelles à travers ce que les sociologues appellent les *mass media* (radio, télévision, cinéma) auxquels s'ajoutent récemment aussi le livre de poche [1].

---

1. Qui constitue, nous l'avons déjà dit ailleurs, une sorte d'encyclopédie sans valeurs propres et caractéristiques dont l'apparition nous semble homologue à la renaissance d'un rationalisme non individualiste.

Mais la nature de la lecture des livres et de l'audition des pièces de théâtre s'est essentiellement modifiée, car c'est évidemment quelque chose de très différent que de lire un livre ou d'écouter une pièce de théâtre en les acceptant ou en les refusant, mais en tout cas en restant en discussion et en communication intellectuelle avec le texte ou le spectacle, que de rester au niveau de la consommation passive, de la distraction et du loisir.

Là aussi, la couche sociale qui participait le plus activement à l'élaboration d'une conscience collective disparue, l'écrivain se trouve en face d'une société qui consomme une masse beaucoup plus grande de biens qu'auparavant et, entre autres, ses propres ouvrages, d'une société qui assure par cela à quelques écrivains privilégiés un standard de vie particulièrement élevé, mais qui ne saurait plus les aider que très modérément au niveau de la création.

Il y aurait pour élucider ces problèmes un certain nombre de recherches empiriques particulièrement urgentes à entreprendre, notamment sur la nature de la lecture et de la participation au spectacle (il est caractéristique que Proust parle toujours d' « entendre » la Berma, alors qu'on dit aujourd'hui le plus souvent « voir » tel ou tel grand acteur) et aussi sur les relations entre les créateurs et le groupe relativement étroit d'individus qui, dans les sociétés contemporaines, participent à la prise de décisions dans les domaines économique, social et politique.

En attendant, nous avons voulu formuler ces quelques remarques beaucoup plus pour soulever un certain nombre de problèmes que pour apporter des solutions [1].

1. Nous avons développé pour la première fois, d'une manière un peu moins schématique, ces idées dans un texte que l'U.N.E.S.C.O. publiera, au cours de l'année 1966, comme document de travail préalable à une enquête sur les valeurs et les expressions nouvelles de la création artistique.

DU MÊME AUTEUR

Aux Éditions Gallimard

CE QUE DIT LA ... dans La Pensée et
le mouvant ...

GÉOMÉTRIE DIALECTIQUE

INTRODUCTION À LA PHILOSOPHIE DE KANT

MARXISME ET SCIENCES HUMAINES

TEL

*Ouvrage reproduit
par procédé photomécanique.
Impression S.E.P.C.
à Saint-Amand (Cher), le 25 février 1986.
Dépôt légal : février 1986.
Numéro d'imprimeur : 339.*
ISBN 2-07-070578-1./Imprimé en France.

37376